Mars 2001

Livres d'André Normandeau
Criminologue et professeur
École de criminologie
Université de Montréal

PIÈGES ET DÉONTOLOGIE EN MILIEU CARCÉRAL

Méridien
ÉDITIONS DU MÉRIDIEN

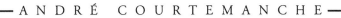

ANDRÉ COURTEMANCHE

PIÈGES
ET DÉONTOLOGIE

EN MILIEU
CARCÉRAL

Méridien
ÉDITIONS DU MÉRIDIEN

Les Éditions du Méridien bénéficient du soutien financier du Conseil des arts du Canada pour son programme de publication.

| Le Conseil des Arts du Canada depuis 1957 | The Canada Council for the arts since 1957 |

Infographie: Duplicatech inc.

DISTRIBUTEURS:
CANADA :   MESSAGERIE ADP
                  955, rue Amherst
                  Montéal (Québec) H2L 3K4

EUROPE ET AFRIQUE :   ÉDITIONS BARTHOLOMÉ
                        16, rue Charles Steenebruggen
                        B-4020 Liège
                        Belgique

ISBN 2-89415-194-2
© Éditions du Méridien
Dépôt légal — Bibliothèque nationale du Québec, 1997
Imprimé au Canada

À Florence, Valérie et Samuel

Avertissement de l'auteur

Dans la plupart des exemples et chapitres de ce volume, nous référons aux employés correctionnels et parfois aux policiers indifféremment qu'il s'agisse des hommes ou des femmes. Toutefois, afin d'alléger le texte et d'en simplifier la compréhension, nous avons privilégié l'utilisation du masculin lors de la rédaction. Ce choix ne doit cependant pas permettre de conclure à une quelconque forme de sexisme.

Nous tenons également à préciser que les opinions émises dans le présent volume n'engagent que son auteur et ne sont pas nécessairement partagées par le Service correctionnel du Canada. De plus, afin de bien illustrer nos propos, nous présenterons un certain nombre de cas vécus. Le lecteur notera toutefois que ces exemples ne se limitent pas uniquement à des événements qui se sont produits au Service correctionnel du Canada et à la région du Québec.

INTRODUCTION

Le monde carcéral, clichés et réalités modernes

Le monde carcéral a toujours suscité une certaine curiosité pour tous ceux qui n'ont jamais eu l'occasion de mettre les pieds dans un établissement de détention. Ainsi, les gens sont normalement impressionnés par l'allure oppressive de ces institutions. Mais, au-delà de ces hautes clôtures, vivent des centaines d'êtres humains que notre société a placé en quelque sorte sur une voie d'évitement pour nombre d'années et il n'est pas toujours facile de nous imaginer comment la vie s'organise et quel sort est réservé à tous ces individus qui, d'une certaine façon, attendent longuement le jour où ils pourront recouvrer leur liberté. Bien que personne ne souhaite se retrouver derrière les barreaux, on ne peut s'empêcher de penser à ce que nous éprouverions si un jour nous étions condamnés à une peine de réclusion. Pour bon nombre d'individus, cette seule idée suffit à les faire frissonner, car l'image du milieu carcéral qui est généralement véhiculée est celle d'un monde inhospitalier, barbare et impitoyable où, chaque jour, il faut lutter pour sa survie. Mais cette perception, comme la compréhension que nous avons ordinairement du régime pénitentiaire, nous sont transmises en grande partie par les médias d'information qui rapportent régulièrement des incidents déplorables et parfois spectaculaires. Nous sommes également influencés par les romans que nous lisons ou les productions cinématographiques qui, dans chaque cas, exploitent habituellement une facette de la dynamique carcérale où le sensationnalisme occupe une large part.

Mais au-delà de ces clichés populaires, qu'en est-il exactement de la vie à l'intérieur des prisons et des pénitenciers? Où se situe la réalité par rapport à la fiction?

Bien sûr, les centres correctionnels ont, dans bien des cas, une apparence impressionnante avec leurs hautes clôtures, les barbelés, les miradors, les patrouilles armées ainsi que les systèmes d'alarme et de détection sophistiqués. À l'intérieur, ce qui étonne ce sont les lourdes portes métalliques, les contrôles, les fouilles et immanquablement, les cellules. Bien sûr, il y a aussi cette masse d'individus que l'on détient contre leur gré, à cause des torts qu'ils ont commis dans la société. Parmi ceux-ci, plusieurs ont un potentiel de violence reconnu. Ainsi, selon des statistiques rendues publiques par le Service correctionnel du Canada[1], on apprend qu'au 31 mars 1994, 62 % des hommes détenus avaient été condamnés pour des infractions graves accompagnées de violence et 13,7 % avaient commis un meurtre. Bon nombre de délinquants sexuels sont évidemment inclus dans ces statistiques. Par rapport à l'ensemble des

---

[1] *Faits et chiffres sur...* les Services correctionnels au Canada, Édition 1994.

détenus, les toxicomanes constituent une large proportion de la population carcérale, puis, à un degré moindre, on retrouve ceux qui présentent des troubles de la personnalité ou même un profil psychiatrique. Tous ces êtres marginaux et criminalisés diffèrent par leurs origines, leurs ethnies, leurs cultures et leurs habitudes de vie.

La surpopulation figure parmi les réalités auxquelles sont confrontés les administrateurs des établissements carcéraux. En conséquence, un certain nombre de détenus n'ont d'autre choix que de partager leur cellule avec un autre individu. Dans un tel contexte, on imagine facilement à quel point la promiscuité peut ajouter au fardeau de l'incarcération.

Et puis il y a cette routine institutionnelle, les fréquents dénombrements de détenus, les fouilles de cellule, des effets personnels, et même les fouilles à nu qui, pour plusieurs, constituent un rappel incessant de leur privation de liberté. Jour et nuit, les détenus se sentent surveillés si bien que le mot « intimité » perd pratiquement toute sa signification. Un autre irritant de taille est certainement l'abandon total que vivent certains, ou le peu de contacts intimes qu'ils ne peuvent entretenir avec leurs proches.

Malgré cette image hostile et répressive, les centres de détention peuvent être présentés paradoxalement dans bien des cas comme des établissements modernes sous le modèle de campus qui n'ont plus rien à voir avec les édifices moyenâgeux, les donjons ou les bagnes des siècles derniers. L'encadrement sécuritaire se fait plus discret. On sent sa présence sans nécessairement le voir constamment. Le régime de vie a également évolué. Les détenus ont acquis des droits et ils ont la possibilité de profiter d'une certaine liberté résiduelle. Ils ont accès au téléphone, à des visites-contacts ou même des visites familiales où ils peuvent affirmer leurs aptitudes parentales en recevant leur famille quelques jours par mois, dans des unités spécialement aménagées. Les détenus ont aussi la possibilité d'avoir toute une gamme d'effets personnels en cellule, incluant leur propre téléviseur. Plusieurs occasions sont offertes pour acquérir diverses compétences, améliorer la scolarité ou même apprendre un métier, ce qui facilitera la réintégration sociale. Des suivis psychologiques, des groupes de thérapie, des cures de désintoxication et divers intervenants sont disponibles pour ceux qui le désirent. Des services de pastorale, des soins médicaux spécialisés, des bibliothèques bien garnies, des équipements sportifs modernes, des groupes de visiteurs bénévoles, des fêtes communautaires et des spectacles sont également accessibles aux détenus. Les travaux forcés d'antan ont cédé la place à des ateliers de travail utiles, qui correspondent aux métiers actuellement exercés à l'extérieur.

Nonobstant la privation de liberté, l'incarcération vise à responsabiliser et normaliser la vie des personnes détenues, tout en offrant des programmes de développement personnel qui stimulent les efforts de chacun, dans sa démarche pour réintégrer la société.

Outre son environnement physique, le système carcéral est aussi une réalité sociologique où cohabitent de nombreux individus.

Ainsi, malgré tous les programmes et services offerts aux personnes incarcérées, il est illusoire de croire que les délinquants vont aussitôt modifier leurs comportements criminels et antisociaux, à moins qu'ils fassent preuve soudainement de bonne volonté. L'incarcération ne change pas systématiquement les valeurs et la personnalité des individus. Même si le système correctionnel s'est fixé un double mandat qui est, d'une part, de protéger la société en maintenant sous bonne garde les criminels et, d'autre part, de dispenser des programmes de resocialisation, il n'en demeure pas moins que le principal bénéficiaire, c'est-à-dire le délinquant, n'en tirera vraiment profit que s'il consent à prendre son propre cheminement en charge et fournir les efforts nécessaires pour corriger les facteurs criminogènes responsables de ses démêlés avec la justice. Or, on sait bien qu'une telle remise en question exige beaucoup d'humilité, ce à quoi nombre de criminels ne sont pas prêts. Pour plusieurs, l'incarcération ne constitue qu'une étape dans leur carrière criminelle. Ils y trouvent la consécration d'un idéal et se glorifient de leurs exploits criminels et de leur style de vie hédoniste. Pour d'autres, ce qui domine c'est l'enchevêtrement perpétuel de problèmes de personnalité ou de toxicomanies qui sont majoritairement responsables de leur conduite antisociale et criminelle.

Plusieurs peuvent donc affirmer, qu'à certains égards, les prisons et pénitenciers sont de véritables écoles du crime, car ceux qui ne sont pas encore enracinés dans un style de vie criminelle trouveront possiblement les modèles qui leur traceront la voie. Les nouveaux détenus, étrangers à ce milieu et incarcérés suite à un incident de parcours ou un épisode sombre de leur existence, vivent un choc culturel percutant lorsqu'ils se retrouvent dans leur nouvel environnement. Très vite, ils constateront comment certains détenus s'organisent, se rassemblent, établissent des rapports de force, forment des bandes rivales et luttent pour un pouvoir primitif et illégitime qui leur permettra, en quelque sorte, d'imposer leur volonté et de contrôler bon nombre d'éléments de la population carcérale. Malgré les règlements, les contrôles et la discipline qui sont imposés par les administrateurs, les criminels n'abandonnent pas facilement leurs habitudes de vie acquises depuis longtemps et ils persistent à manipuler et exploiter les plus faibles. La drogue et l'alcool frelatés sont toujours présents en dépit des nombreuses fouilles et de la vigilance du personnel qui lutte continuellement contre ce problème. Conséquemment, des individus s'endettent et il en résulte de l'intimidation, des règlements de comptes et des vengeances. Les actes de violence et la peur sont donc des réalités du milieu carcéral. Ce monde âpre n'est en fait qu'une transposition d'une facette de notre société, mais avec une intensité beaucoup plus grande, puisque la quasi-totalité des acteurs ont une personnalité et un potentiel criminel indéniables. Plusieurs d'entre eux ont commis des crimes graves et leur volonté ou les efforts nécessaires à une simple remise en question sont quasiment nuls, puisqu'ils se complaisent dans ce style de vie. Finalement, leur comportement froid, distant et parfois même arrogant à l'égard du personnel ainsi que leur attitude généralement réfractaire à l'autorité en font des individus peu sympathiques et même redoutables dans certains cas.

À l'opposé de ce portrait sévère, nous pouvons présenter la clientèle carcérale comme des individus qui sont mal dans leur peau et qui accumulent les misères et les échecs de leur vie. Malchanceux depuis leur enfance, plusieurs n'ont pu profiter d'un encadrement parental adéquat. Abusés et rejetés à maintes reprises, leur développement fut perturbé et très tôt, ils ont développé des problèmes d'adaptation, d'apprentissage et de consommation. Les échecs se sont accumulés, puis les problèmes scolaires et enfin les difficultés reliées à l'emploi. Ainsi, certains sont, en quelque sorte, victimes de leur mauvais sort et la société n'a pas réussi à leur venir en aide en leur accordant une seule chance qui soit réellement valable. Handicapés par leur passé et leur absence de ressources, ils s'enlisent peu à peu dans une vie misérable où les possibilités de retour sont minces. Pour quelques-uns, c'est l'ennui et la détresse. Malheureux, la vie ne semble leur apporter que déceptions, frustrations et désespoir.

Heureusement, il n'y a pas que cet aspect négatif et sinistre. L'incarcération est aussi une occasion de se développer, de prendre conscience de ses erreurs et de ses faiblesses et de rebâtir un avenir plus prometteur. Les programmes de formation et d'éducation permettent aux individus motivés d'acquérir ces qualités et compétences qui leur faisaient défaut pour bien démarrer dans la société. Les séances de thérapie ainsi que l'encadrement professionnel et psychologique aident les détenus à voir plus clair dans leur vie et à modifier leurs problèmes de comportement. Les libérations conditionnelles permettent aux individus sérieux et motivés de reprendre le chemin de la liberté plus rapidement, et nombreux sont ceux qui ont profité de la leçon et qui ne récidiveront pas.

De plus, à diverses occasions, des détenus ont fait preuve d'altruisme grâce à des programmes spéciaux qui leur ont permis de s'impliquer dans des causes humanitaires visant à aider des personnes démunies ou handicapées et qui, en réalité, vivent un malheur permanent et des conditions de vie beaucoup plus éprouvantes que les détenus eux-mêmes. Il n'y a pas de doute que des individus savent bénéficier de leur incarcération, de sorte qu'ils profitent de l'occasion pour relever le défi de leur vie et amorcer un cheminement positif. Malgré un environnement dur et éprouvant, on peut se rendre compte que le regret, l'espoir et la chaleur humaine peuvent aussi trouver leur place dans le monde carcéral.

De toutes ces présentations différentes et même contradictoires, que faut-il retenir et qu'en est-il réellement du milieu carcéral? En fait, la réalité est un peu l'amalgame de tout ce que j'ai décrit précédemment. Il est faux de prétendre que le système pénitentiaire moderne et le climat de vie qui y prévaut sont un univers rose, dans lequel on réoriente systématiquement les éléments criminalisés de notre société. À l'opposé, il ne faut pas croire que l'incarcération est un monde barbare et impitoyable qui n'a que des effets destructeurs sur les humains qui y sont condamnés.

Le fait de vivre emprisonné dans un monde que l'on peut qualifier d'artificiel représente certainement une réalité difficile à vivre, mais ce qui est encore plus éprouvant à notre avis, c'est la dynamique qui prévaut entre tous les détenus qui véhiculent des valeurs criminelles et qui cherchent continuellement à étendre leur influence.

Dans notre société démocratique, le système correctionnel est conçu de façon à protéger les droits des détenus en traitant ceux-ci dignement et humainement. Si on se fie à ce qui nous est permis d'apprendre de plusieurs autres pays, nos centres de détention au Canada peuvent certainement être comparés avantageusement.

Il est important de savoir que le but visé par l'emprisonnement n'est pas de punir. Le fait de perdre temporairement sa liberté représente certainement une punition en soi, mais la vocation ou la mission que les Services correctionnels se sont vus confier par le gouvernement est, d'une part, de protéger la société et, d'autre part, d'inciter les délinquants à devenir des citoyens respectueux des lois.

Pour remplir son mandat, le système correctionnel oriente les détenus vers des établissements de niveaux sécuritaires minimum, médium ou maximum et ce, en fonction principalement du risque et de la dangerosité qu'ils représentent, tant pour la société que pour leur environnement immédiat. Leur motivation générale et le respect de la réglementation en vigueur sont également pris en considération, de même qu'un certain nombre d'autres éléments. Ainsi, selon les niveaux sécuritaires, on retrouve un climat de vie différent dans chaque centre correctionnel, puisque la clientèle de détenus que l'on retrouve à ces différents niveaux a généralement une attitude distincte. La « loi du milieu » sera donc plus forte chez les détenus plus endurcis des établissements maximums. Ceux-ci demeurent les plus distants du personnel et leur réceptivité à l'égard des programmes de traitement est moins grande. D'ailleurs, l'encadrement sécuritaire et les contraintes supplémentaires qui doivent être imposées à ces détenus ne s'avèrent certes pas des éléments facilitateurs. À l'opposé, dans les institutions à sécurité minimale, les détenus n'ont plus beaucoup de chemin à parcourir avant de recouvrer leur liberté et ils ne veulent généralement pas compromettre leurs chances d'élargissement en contrevenant aux attentes et objectifs qui leur ont été fixés. Cette population est donc plus motivée en général, et fait preuve davantage de disponibilité envers le personnel. L'atmosphère y est beaucoup moins lourde et tendue, ce qui laisse place à des interactions positives.

Ce survol rapide du monde correctionnel démontre à quel point les mini sociétés qui bourdonnent à l'intérieur des centres de détention constituent un monde complexe, particulier et difficilement saisissable. On comprend donc que les détenus qui sont incarcérés pour la première fois vivent une période d'adaptation plus ou moins longue et laborieuse. Une fois remis du choc initial, chacun s'ajuste de façon à survivre le plus confortablement possible et ce, particulièrement avec tous ces criminels qui constituent désormais l'essentiel de son environnement humain.

Être un employé correctionnel

Les nouveaux employés qui viennent travailler pour la première fois dans un établissement correctionnel ont beau être diplômés dans l'une ou l'autre des sciences humaines ou avoir suivi cours et formations qui enseignent les différentes facettes du monde criminel et de la dynamique carcérale, il n'en demeure pas moins que leurs connaissances sont essentiellement d'ordre théorique. Leur principal inconnu, c'est eux-mêmes. Bien que plusieurs aient pu consacrer du temps à la découverte de leur « MOI » par le biais d'introspection, de groupes de croissance, ou autres, ils ignorent vraisemblablement comment ils réussiront à s'adapter et à composer avec ce milieu parfois exigeant. Les émotions, les confrontations, les frustrations et le stress que chacun vivra auprès de la population carcérale constitueront une expérience pratique qui permettra réellement d'apprécier et de comprendre ce monde étranger ayant des valeurs différentes de celles véhiculées par la majorité des individus de notre société.

Comme dans chaque métier ou profession, le travail dans un établissement carcéral exige certainement de chacun des intervenants un certain nombre de qualités et d'aptitudes particulières. Ainsi, nous croyons que le personnel qui compose quotidiennement avec des détenus exerce une fonction d'autorité nécessitant entre autres, une bonne acuité d'esprit, du jugement, de la fiabilité, un bon contrôle de soi et une capacité de prendre du recul par rapport aux situations vécues de faire son autocritique tant sur son attitude que sur ses interventions en général.

Qu'il s'agisse de l'agent de correction, de l'instructeur ou du professionnel qui œuvre quotidiennement auprès des détenus, chacun se doit d'assumer un double rôle. Ainsi, on exige de lui qu'il exerce un contrôle sécuritaire sur ceux qui sont sous sa garde, mais en même temps, il doit agir en tant qu'agent de changement afin de stimuler et aider activement les personnes incarcérées à se prendre en main pour réorienter leur vie positivement et faciliter leur réintégration sociale.

Cette double tâche nécessite forcément des contacts et des échanges avec la population carcérale. Ainsi, la qualité des rapports qui seront établis dépendra de plusieurs facteurs inhérents à l'employé lui-même, aux détenus ou au contexte de travail. Les relations professionnelles entre les employés des centres de détention et la clientèle qui y est incarcérée diffèrent forcément d'un individu à l'autre. L'expérience, les émotions vécues, l'intérêt des employés pour la tâche ainsi que la volonté et la sincérité des détenus dans leur démarche sont autant de facteurs dont il faut tenir compte.

Grâce à un encadrement professionnel et un travail d'équipe efficaces, il est relativement aisé d'éviter ou de surmonter les épreuves difficiles. Toutefois, chacun a ses limites et faiblesses, et malheureusement, on doit quand même déplorer des événements fâcheux.

Ainsi à l'occasion, nous pouvons malheureusement constater que des employés correctionnels outrepassent leur pouvoir ou les règles de conduite établies, ce qui les place parfois dans des situations dangereuses et compromettantes. Ceux-ci, pour diverses raisons ont pu agir avec insouciance, maladresse ou même être la proie de détenus qui les ont manipulés et piégés. À chaque occasion, ces employés « fautifs » ou « victimes » ont dévié de l'éthique professionnelle à laquelle tous les agents de la paix doivent se conformer. Les actes reprochés avaient rarement un caractère criminel, bien que, dans quelques cas, des accusations ont formellement été déposées. Pour bon nombre d'employés, il s'agissait d'une conduite non professionnelle, particulièrement dans le contexte d'autorité qui prévaut normalement dans un pénitencier.

Lorsqu'un incident du genre éclate au grand jour, c'est presque toujours la surprise et la consternation parmi les collègues de travail. On comprend mal de quelle façon un ami et confrère ait pu, dans certains cas, mettre en péril sa propre sécurité et celle de l'ensemble du personnel en ayant une conduite répréhensible. Pourquoi, par exemple, entretenir des rapports secrets avec un ou des détenus et s'être compromis en rendant des services qui vont au-delà du rôle d'un employé correctionnel? Des individus que l'on croit intègres négligent tout à coup leurs devoirs pour commettre des impairs d'ordre éthique, disciplinaire, ou même légal.

De tels écarts sont toujours lourds de conséquences. Autant la sécurité du public en général que celle du personnel qui œuvre auprès des détenus ainsi que le bon ordre et le climat de vie des établissements de détention peuvent être menacés lorsqu'un seul individu dévie du code de déontologie. L'harmonie et la confiance mutuelles entre les employés correctionnels risquent aussi de s'effriter ce qui affaiblirait certainement l'efficacité du groupe.

Dans le monde carcéral, certains délinquants sont experts pour provoquer de telles situations. Leurs rapports avec le personnel ou certains membres du personnel sont biaisés afin de satisfaire des objectifs personnels inavoués et souvent illicites. On n'a qu'à penser aux fraudeurs et on comprendra que certains sont d'excellents manipulateurs qui tentent par différents moyens de piéger et d'exploiter les employés les plus vulnérables pour arriver à leurs propres fins. Ils sont aussi experts dans l'identification des victimes les plus probables.

Tirer profit des expériences

Le présent volume propose donc de décrire différentes approches que les détenus ont, ou peuvent utiliser, pour tromper les fonctionnaires. Parallèlement, nous tenterons de dépeindre un certain nombre d'attitudes et de comportements qui rendent ces fonctionnaires vulnérables face aux détenus. Il importe de reconnaître les bonnes pratiques à adopter, mais il faut aussi tirer des leçons des mauvaises habitudes et des erreurs commises. À cet égard, les administrateurs des services correctionnels ne partagent guère leurs mauvaises expériences car, d'une part, on craint probablement que les bévues des individus viennent entacher l'image de l'organisation et, d'autre part, on ne veut surtout pas aggraver le problème et miner davantage la crédibilité de l'employé concerné en traitant de la question quand le dossier d'enquête n'est pas clos ou que les procédures administratives ou criminelles ne sont pas terminées. Bien que cette attitude soit compréhensible, nous croyons néanmoins que les expériences vécues sont les meilleures leçons que l'on puisse tirer et il est profitable de les partager lorsque le contexte le permet. C'est donc à l'aide d'exemples vécus que nous entendons présenter diverses situations où le personnel de correction s'est compromis avec les détenus. La somme d'expériences, de réflexions, de discussions, d'observations et d'enquêtes que nous avons réalisées à ce sujet constituent un tout qui peut certainement profiter à l'ensemble de ces travailleurs qui doivent composer avec une clientèle de détenus. Bien entendu, l'anonymat des personnes impliquées, les dates et les lieux de chacun des incidents seront préservés puisqu'ils n'ajouteraient rien de toute façon à la compréhension du phénomène qui est décrit.

Puisque notre but n'est pas vraiment de mettre en relief des réalisations méritoires, mais plutôt d'identifier les pièges dans lesquels s'empêtrent les employés correctionnels, le lecteur pourrait être tenté de conclure trop rapidement que le système carcéral est inadéquat et que les membres de son personnel sont majoritairement inefficaces, incompétents ou irrespectueux des lois, règlements ou procédures en vigueur. Malheureusement, il suffit parfois d'un incident de parcours pour entacher une crédibilité et une image acquises au prix d'un travail de longue haleine. En fait, les erreurs commises par quelques individus ne devraient pas remettre en question la qualité d'une organisation et de la majorité de ses membres.

Même si certaines fautes ont parfois des conséquences fâcheuses pour plusieurs personnes ou même pour la société en général, il faut néanmoins demeurer objectif et apprécier le système ou l'organisation dans sa globalité, autant pour ses succès que pour ses échecs. Les incidents regrettables doivent servir de leçon et orienter les réajustements. Les individus autant que les organisations qui sont capables d'apprendre et de se relever suite à une pénible expérience reviennent généralement plus forts et plus performants. Les exemples auxquels nous ferons référence dans le présent volume s'échelonnent sur plusieurs années et mettent en évidence des incidents déplorables à la suite desquels des enquêtes ont généralement eu lieu et des mesures correctives ont pu être prises. Le fait de porter un jugement d'ensemble sur les services correctionnels et dont le fondement reposerait essentiellement sur ces expériences serait une erreur, puisque la facette que nous présentons n'est pas le reflet global d'une organisation envers laquelle nous maintenons toujours un haut niveau de confiance.

Le présent volume se veut donc un outil d'apprentissage et de partage d'expériences. Sans prétention scientifique, nous tenterons à travers cette étude empirique, non seulement de faire connaître, mais aussi de faire vivre une réalité pratique de la dynamique carcérale. Ainsi, en évitant d'énoncer des concepts abstraits qui expliquent ce qu'est la relation entre détenu et gardien, nous préférons plutôt tenter de décrire de façon simple comment s'opère cette relation.

Une telle approche offrira donc aux intervenants du milieu l'opportunité de prendre du recul par rapport à leur vécu, de façon à s'interroger et prendre conscience de leurs émotions, incertitudes, faiblesses et orientation dans leurs rapports avec les détenus. Cet ouvrage sera donc une occasion privilégiée pour effectuer cette réflexion, d'autant plus qu'il y a peu de littérature à ce sujet.

Ce livre s'adresse non seulement à tous les employés correctionnels et intervenants auprès des délinquants, mais aussi aux policiers qui, à certains égards, sont susceptibles de vivre des situations semblables aux agents de correction. De leur côté, en étant mieux informés sur cette problématique, les gestionnaires pourront repérer plus rapidement les situations dangereuses et, conséquemment, dispenser les conseils et l'encadrement nécessaires aux employés les plus vulnérables. Par extension, tous les intervenants qui doivent assumer un rôle d'autorité ou de relation d'aide dans une entreprise, sans devoir nécessairement composer avec des criminels, pourront également tirer profit des situations qui seront exposées ici, car l'éthique et la déontologie ne sont pas uniquement l'apanage des Services correctionnels. En fait, de nombreux administrateurs réalisent jour après jour que l'image, la fierté et la rentabilité de leur entreprise sont liées à ces notions importantes, si bien qu'elles constituent des préoccupations de premier ordre.

Dans leur usage quotidien, les concepts d'éthique et de déontologie sont toutefois compris et interprétés différemment selon les situations ou les individus en cause. Afin d'éviter toute ambiguïté dans le présent document, nous avons élaboré les deux définitions suivantes, auxquelles nous entendons nous référer :

L'éthique, c'est à la fois une conscience individuelle et corporative guidée par des principes moraux et légaux ayant pour objectifs : le respect des droits d'autrui, la transparence, l'équité, l'impartialité, bref, l'honnêteté et la justice dans leur définition la plus exhaustive.

La déontologie, c'est l'ensemble des devoirs et principes auxquels doivent se conformer les individus et les corporations qui prétendent à une conduite professionnelle et à un sens de l'éthique dans l'exercice de leurs fonctions.

QUI EST VULNÉRABLE?

Une bien longue liste

Les employés des services correctionnels étant minutieusement sélectionnés et enquêtés lors de leur embauche, nous croyons que la marge d'erreur est relativement mince. Les critères d'emploi sont sévères et les tests d'évaluation, de plus en plus perfectionnés afin de s'assurer que les postulants aient bien les capacités et les qualités requises pour occuper un poste d'agent de la paix. Une fois en service, les nouveaux employés sont soumis à un programme de formation complet, dans lequel on leur enseigne les différentes facettes et réalités du milieu carcéral, tout en les mettant en garde contre les pièges et les manipulations des délinquants. Les conséquences suite à d'éventuels écarts du code de conduite sont également exposées en détail et il n'y a pas de doute que les recrues connaissent les attentes de l'organisation à leur égard.

Ainsi, nous croyons que les nouveaux employés sont plutôt motivés, honnêtes et bien intentionnés à l'égard des détenus et des tâches qu'ils doivent accomplir. Bien sûr, la motivation, la maturité et l'ambition peuvent varier de l'un à l'autre, mais ces différences n'en font pas pour autant des sujets vulnérables qui risquent de s'empêtrer dans des situations compromettantes et périlleuses.

Donc, si la probité des nouveaux employés correctionnels ne présente pas vraiment de problèmes puisque ceux-ci n'ont pas fait ce choix de carrière avec l'intention de déjouer le système à la faveur des détenus ou même dans le but de tirer un quelconque profit personnel illégitime, mais
considérant que de telles situations se produisent occasionnellement, nous devons comprendre qu'en exerçant leurs fonctions, certains membres du personnel vivent des événements troublants avec lesquels ils ont de la difficulté à composer, et leur conduite peut alors s'en ressentir. Dans d'autres cas, ils peuvent être nettement dupés par les détenus ou faire preuve d'insouciance, de maladresse ou tout simplement d'un manque de professionnalisme.

Quels sont donc ces employés vulnérables qui cèdent aux demandes des détenus et leur accordent indûment des privilèges ou des autorisations spéciales? Quels sont ceux qui ferment les yeux sur les entorses aux règlements, permettant ainsi aux détenus d'échapper au processus disciplinaire? Qui donc peut consentir à transmettre un message ou faire une commission à l'extérieur du centre de détention pour le bénéfice d'un individu incarcéré? Qui est disposé à donner de petits cadeaux aux détenus? Qui est vulnérable au point d'entrer clandestinement des objets interdits, que ce soit des stéroïdes anabolisants, des drogues de toutes catégories ou même une arme à feu et des munitions?

Quels sont ces employés vulnérables qui, dans leurs rapports avec les détenus ont commis des bris de confidentialité en dévoilant des renseignements de nature délicate? Qui accepte des faveurs, des pots-de-vin ou profite des services offerts par des relations ou des compagnies appartenant à des détenus ou ex-détenus? Qui en vient à développer des relations fraternelles ou des contacts d'affaires avec des détenus, ex-détenus ou membres de leur famille proche? Quels sont ceux qui succombent aux propositions amoureuses et qui entretiennent une liaison secrète, allant même jusqu'à consentir à des relations sexuelles avec des détenus?

De prime abord, on peut croire que certaines de ces situations sont irréalistes et nettement exagérées, mais il en est tout autrement, car ces exemples correspondent à des faits vécus. Certains cas sont invraisemblables quand on pense que l'histoire se déroule à l'intérieur d'un centre de détention où chaque employé est un agent de la paix qui, d'une part, doit normalement être soucieux des règles de déontologie et, d'autre part, doit servir d'exemple aux délinquants sous sa garde.

Il n'est donc pas facile de comprendre le cheminement qui amène ces fonctionnaires à commettre des bévues, risquant ainsi leur avenir professionnel, tout en mettant en péril leur propre sécurité, celle de leurs collègues de travail et de l'établissement en général.

Bien que les cours de formation dispensés à tous les nouveaux employés permettent d'acquérir des connaissances et de développer des compétences, on doit toutefois reconnaître qu'il est impossible d'orienter les réactions, les émotions et l'adaptation de chacun au milieu carcéral. Tous les individus ont leur propre personnalité avec leurs forces et faiblesses, leurs problèmes personnels et un flot d'expériences bonnes ou mauvaises qu'ils ont vécues au fil des ans. Ces variables et sûrement plusieurs autres font en sorte que diverses personnes confrontées à une même situation n'ont pas nécessairement la même attitude ou la même réponse. De plus, un individu peut réagir différemment par rapport à une même situation, selon qu'elle se produise à un moment ou un autre de sa vie.

C'est donc toute cette dynamique qui, parfois, rend difficilement compréhensible les agissements de certaines personnes et qui fait faussement croire à certaines autres qu'ils ne seraient pas vulnérables en pareilles circonstances.

Mais encore une fois, qui est vulnérable et peut-on tracer un portrait type de cet individu?

Notre premier réflexe est souvent de considérer les nouveaux employés comme étant les plus vulnérables en raison, principalement, de leur inexpérience. À certains égards, il n'est pas faux de penser ainsi, car les détenus eux-mêmes identifient les nouveaux et les mettent à l'épreuve en tentant de les confondre, afin d'obtenir de menus privilèges qui sont ordinairement refusés. En contrepartie, nous devons affirmer que ces nouveaux employés sont généralement plus prudents que la moyenne et qu'ils auront tendance à vérifier s'ils agissent correctement avant de prendre certaines décisions. Manquant peut-être de sécurité, ils se montrent parfois plus restrictifs dans l'octroi de permissions ou privilèges. Au fil des ans, ils prennent de l'expérience et deviennent, dans certains cas, plus permissifs ou tolérants et cèdent un peu trop facilement aux demandes des détenus.

Pour d'autres, les femmes sont davantage vulnérables lorsqu'elles viennent travailler dans un milieu majoritairement composé d'hommes, car la mentalité et le climat de travail qui y prévalent diffèrent de ce qui existe dans un contexte où la répartition sexuelle des employés et de la clientèle est plus proportionnelle.

De plus, la présence de femmes dans des établissements de détention où sont incarcérés des hommes (l'inverse est aussi vrai) ouvre la voie aux suborneurs. L'expérience tend toutefois à démontrer, qu'à cet égard, les employés masculins sont davantage actifs auprès de leurs consoeurs que les détenus eux-mêmes. Il en est de même pour les actes de harcèlement. Le piège des sentiments amoureux constitue donc un risque supplémentaire pour les femmes, mais celles-ci ne sont pas nécessairement plus vulnérables pour autant. Toutefois, il ne faut pas croire que les hommes soient immunisés contre ce genre de situation, car il y a déjà eu quelques cas où des employés homosexuels avaient trouvé parmi la population carcérale le partenaire apte à satisfaire leurs désirs.

On peut aussi croire que les gestionnaires des centres correctionnels sont davantage vulnérables en raison des nombreux contacts privilégiés qu'ils entretiennent avec les détenus et particulièrement avec les membres du comité qui représentent l'ensemble des incarcérés. La latitude dont ils disposent lorsqu'ils négocient avec des détenus et leur pouvoir décisionnel peuvent laisser place à des initiatives malheureuses s'ils tombent dans des pièges.

On peut également penser que d'autres employés vulnérables sont ceux qui, dans le cadre de leurs fonctions, doivent rencontrer des détenus dans des secteurs isolés tels des bureaux d'entrevue où il n'y a pas de témoins. La même présomption pourrait aussi s'appliquer aux groupes de personnes qui ont des contacts continuels avec les détenus, tels les professeurs, instructeurs ou autres, car ils ont l'opportunité de développer des contacts beaucoup plus étroits.

Finalement, l'expérience nous démontre que tout le monde peut être vulnérable. Nous avons pu constater que de nouveaux employés ainsi que des individus d'expérience sont tombés dans des pièges et ont commis de sévères entorses aux règles de déontologie. Certains étaient des agents de correction, des instructeurs, des professeurs; dans d'autres cas, il s'agissait de professionnels, d'infirmières, de psychologues, d'aumôniers, etc. Qu'importe leur niveau dans la hiérarchie, qu'ils soient à la base ou même administrateurs, des individus se sont embourbés en commettant des actes regrettables qui ont eu des impacts majeurs sur leur emploi.

Mais pourquoi donc?

La nature des tâches ou même le lieu de travail des fonctionnaires peuvent, dans certains cas, faciliter l'approche des détenus qui ont l'intention de leur tendre des pièges ou de les manipuler. On constate également que l'ensemble des employés correctionnels sont vraiment vulnérables lorsqu'ils présentent certaines dispositions ou des faiblesses dans leur façon de composer avec la clientèle carcérale.

Pendant des années, un employé correctionnel peut s'avérer très efficace et sécuritaire dans son travail. Toutefois, les circonstances de la vie peuvent faire en sorte que cet individu soit tourmenté par différents problèmes qui perturbent son cadre émotionnel et, par conséquent, son jugement. Ses déboires personnels peuvent être d'ordre financier, familial, relationnel, professionnel ou autre.

Des expériences marquantes telles qu'une séparation, un décès ou la maladie d'un proche peuvent nécessiter plusieurs mois pour retrouver l'équilibre normal. Dans certains, cas le cheminement sera plus difficile et le malheureux tentera de trouver le réconfort dans l'alcool ou les drogues ce qui, on s'en doute bien, contribuera à envenimer encore plus le problème initial.

Le milieu de travail lui-même peut générer des tracas qui altèrent notre façon d'être ou de travailler. Certains individus réagissent émotivement à certains types de détenus et s'avèrent incapables de composer adéquatement avec ceux-ci, qu'il s'agisse par exemple de motards, de fraudeurs, de délinquants sexuels, etc. Pour d'autres, le fait d'avoir vécu des expériences traumatisantes dans l'exercice de leurs fonctions, l'accumulation de stress, ou tout simplement les frustrations reliées à l'emploi contribuent à réduire la vigilance et l'acuité d'esprit, ce qui risque de se traduire par une conduite qui ne répond pas toujours aux impératifs professionnels et sécuritaires.

À l'instar des autres milieux de travail, les établissements carcéraux n'échappent pas aux conflits internes entre confrères et consoeurs de travail ou entre gestionnaires et subalternes. Ces problèmes affectent parfois sérieusement le climat d'harmonie et le professionnalisme qui devraient régner dans ces établissements.

Finalement, il y a aussi ces individus qui, sans raison apparente, se désengagent peu à peu de leur rôle d'agent de la paix pour s'orienter dans une voie où leur travail ne représente plus que leur gagne-pain, ou encore ils décident tout bonnement de servir leurs intérêts personnels plutôt que professionnels, en faisant fi de certaines règles de sécurité, de l'éthique et parfois même des lois en vigueur.

Bref, il est inutile d'expliciter davantage les nombreux tourments auxquels nous pouvons être confrontés au cours de notre vie, car ce sujet à lui seul pourrait nourrir plusieurs volumes. Cependant, il importe de savoir que nos problèmes personnels peuvent parfois modifier notre conduite ou notre attitude au travail. Quelquefois les conséquences sont négligeables, mais en d'autres occasions, il peut en être tout autrement.

Comprendre, accepter et agir

Les grandes entreprises ont bien compris cette réalité qui, inévitablement, a un impact sur toute l'organisation. La main-d'oeuvre des entreprises constitue l'élément moteur permettant d'aller de l'avant et de réaliser des progrès, ce qui, en conséquence, procure une large part de la rentabilité souhaitée. Chaque employé représente donc un investissement en raison de l'expérience acquise et de la formation qu'il a reçue.

Les gestionnaires ont avantage à ce que leurs employés règlent leurs problèmes avant que l'organisation en ressente les contrecoups ou que son image ne soit ternie. Ainsi, la dernière décennie a été marquée par l'émergence de programmes d'aide aux employés afin que ceux-ci puissent, d'une manière tout à fait confidentielle, recevoir l'aide professionnelle dont ils ont besoin pour voir plus clair dans leur vie. Ces programmes sont bénéfiques tant pour les individus que pour l'entreprise en général. Malheureusement, dans les établissements correctionnels comme partout ailleurs je suppose, il y a encore trop de travailleurs qui ne reconnaissent pas leurs problèmes ou leur besoin d'aide. Ils se refusent à croire que des préoccupations personnelles influencent leur rendement ou leur vigilance au travail. Trop nombreux sont ceux qui, malgré leur entourage et de bonnes relations avec des collègues de travail, demeurent isolés dans leur vécu quotidien, préférant ainsi ne pas dévoiler leurs peurs ou leurs difficultés à intervenir auprès de certains détenus ou dans différentes situations. Les discussions franches et le partage des expériences entre confrères et consœurs de travail sont pourtant d'excellents moyens pour apprécier les qualités ou les lacunes des interventions de chacun. Malheureusement, la crainte d'être jugé, de paraître faible ou de ne plus avoir la confiance de ses pairs, incite plusieurs individus à se retrancher derrière une façade qui donne l'illusion d'une personne forte, confiante et sûre d'elle-même. Les habitudes de travail acquises au fil des ans ainsi que les interventions auprès des détenus deviennent alors vite stéréotypées. Aussitôt qu'une approche ou une action en particulier s'avère efficace et produit les résultats escomptés, on a tendance à l'adopter à tous nos rapports, peu importe le contexte ou les individus impliqués. Pourtant, chaque cas et chaque situation nécessitent une approche spécifique et adaptée aux besoins. À notre avis, les professionnels des relations humaines doivent être en mesure de s'autocritiquer et de remettre continuellement en question leurs interventions. De plus, ils doivent être constamment à l'affût des véritables intentions des détenus, tout en interprétant avec justesse les paroles et les actes de ces derniers.

Ceux qui ne se prêtent pas à cet exercice se privent d'un excellent outil de développement personnel tout en se rendant plus vulnérables à la dynamique carcérale puisqu'ils doivent supporter seuls les épreuves auxquelles ils sont confrontés dans l'exercice de leurs fonctions.

Il est parfois difficile d'établir les paramètres d'une conduite professionnelle acceptable. Notre jugement peut être biaisé par des considérations émotives ou par notre volonté de venir en aide en faisant un peu plus qu'à l'habitude. Il n'est pas facile non plus de concevoir que nos bonnes intentions et notre désir de nous dépasser peuvent malgré tout nous amener à commettre des actes répréhensibles et contraires à l'éthique professionnelle. Mais comment déterminer jusqu'où nous pouvons aller dans nos interventions tout en livrant le maximum de nous-mêmes sans toutefois devenir la proie de détenus manipulateurs et ainsi compromettre la sécurité de notre milieu de travail et notre cheminement de carrière?

Dans les prochains chapitres, nous tracerons six portraits qui englobent les différentes attitudes, actions et réponses inadéquates que tous les intervenants en milieu correctionnel peuvent adopter en certaines occasions à l'égard des délinquants. Les faits et les expériences vécues que nous relaterons permettront d'avoir une vision pragmatique des réalités du monde carcéral et de comprendre probablement mieux les difficultés, sentiments et réactions du personnel correctionnel. Pour tous ceux qui travaillent déjà dans ce milieu, il s'agit plutôt d'une occasion de prendre du recul par rapport aux activités quotidiennes et de réaliser une prise de conscience de certaines faiblesses dans leurs interactions avec la clientèle délinquante. La déontologie appliquée dans le travail de tous les jours ne paraît pas aussi évidente que dans les énoncés théoriques que l'on retrouve dans les livres de règlements et de discipline. Une plus grande connaissance de soi et une meilleure compréhension de la dynamique qui prévaut dans les prisons et pénitenciers contribueront certainement à rehausser le jugement et le discernement de ces travailleurs qui doivent reconnaître les limites de leurs interventions sans toutefois s'exposer aux nombreux pièges du milieu.

LA NAÏVETÉ, LA NÉGLIGENCE

L'implacable routine

En apprenant qu'un membre du personnel d'un établissement carcéral a commis une faute professionnelle qui a compromis la sécurité de l'institution ou des individus qui y travaillent, notre premier réflexe est souvent de croire à la négligence ou la naïveté de l'employé fautif. Cette perception est encore plus forte lorsque l'employé en question est victime d'une arnaque montée par un détenu particulièrement rusé et manipulateur.

En réalité, nous pouvons attribuer à la négligence et à la naïveté de nombreux agissements fautifs. Le fait de côtoyer quotidiennement des individus criminalisés, et ce, pendant des années, semble avoir un effet inhibiteur sur l'attitude de méfiance et de prudence qui doit caractériser généralement le personnel des établissements de détention. Ainsi, par le contact étroit et fréquent des détenus, on découvre peu à peu leur nature profonde et les aspects positifs de leur personnalité, oubliant du même coup leur potentiel criminel. D'ailleurs, sur la masse d'individus incarcérés dans un établissement, il est impossible de se souvenir du dossier criminel et des antécédents de chacun. Conséquemment, quelques-uns perçoivent trop souvent les détenus comme une masse de résidents qui se confondent les uns et les autres à l'intérieur de l'établissement. Dans certains cas, on fait pourtant face à des types qui n'attendent que la première occasion pour tenter de s'évader ou s'emparer d'un objet interdit ou encore exploiter illicitement toute situation à leur avantage. Finalement, lorsqu'un événement fâcheux se produit, tous les employés reprennent soudainement conscience des pièges et des menaces qui les guettent tous. Puis, quelques semaines plus tard, c'est le retour à la routine. Dans le texte qui suit, nous avons réuni un certain nombre d'exemples qui illustrent bien ces propos.

Ainsi, nous remarquons régulièrement une habitude du personnel correctionnel de parler entre eux de sujets délicats, sans nécessairement prendre garde de vérifier la présence de détenus susceptibles de capter des bribes d'information qui pourraient ensuite être utilisées à mauvais escient. Ainsi, pendant l'heure du repas, les fonctionnaires se retrouvent généralement dans la salle à manger ou dans une salle de repos. Ils en profitent alors pour discuter des problèmes de l'organisation, de certaines procédures de sécurité, de la routine quotidienne, du dossier de quelques individus incarcérés ou des soupçons qu'ils entretiennent à leur égard et malheureusement, ils oublient que l'oreille indiscrète d'un détenu qui s'affaire à laver la vaisselle ou à balayer un plancher a tout entendu. Parfois, les conversations ont un caractère plus personnel lorsque les gens discutent, par exemple, de leur nouvelle maison dans tel quartier, de leur véhicule automobile de tel modèle, ou de leurs enfants qui vont à telle école, etc. Ce genre de propos qui est courant et d'intérêt négligeable pour quiconque n'est pas concerné, a une toute autre valeur pour un criminel incarcéré qui a l'intention d'intimider ou de faire chanter un fonctionnaire.

Soulignons particulièrement ce cas où un détenu, dans le but d'intimider un agent de correction, l'avait informé qu'il savait que sa conjointe travaillait pour la firme X tout en mentionnant les six premiers chiffres de son numéro de téléphone privé. On peut facilement s'imaginer le désarroi et l'inquiétude du fonctionnaire constatant que des renseignements personnels sont entre des mains possiblement malveillantes. La situation est tout aussi préoccupante lorsque des informations sur les procédures de sécurité ou les systèmes de détection et de protection ont réussi à parvenir aux oreilles des détenus.

Les occasions ne sont pas rares où des employés ont commis, par inadvertance ou négligence, des bris de confidentialité en révélant des indices qui ont suffit à alerter des détenus au sujet d'une enquête sur leurs agissements ou sur un présumé complot dans le but de commettre un crime quelconque. Lors de la planification d'une fouille générale des blocs cellulaires, on doit avoir recours à de nombreux effectifs et mettre en place tout un scénario qui permettra l'atteinte des objectifs. Il faut donc inévitablement qu'un certain nombre d'individus soient avisés à l'avance et, malheureusement, des parcelles de conversation ou simplement une attitude anormale de la part des membres du personnel viennent occasionnellement mettre la puce à l'oreille des détenus, ce qui a pour conséquence, on s'en doute bien, d'annihiler les efforts qui ont pu être déployés.

Parfois, des questions anodines et apparemment inoffensives venant des détenus ne servent qu'à ourdir des projets illicites. Mentionnons, par exemple, les interrogations visant à connaître l'identité des compagnies qui livrent des denrées et des biens à l'établissement carcéral, ou le moment choisi pour effectuer certains travaux, ou encore l'horaire de travail d'un employé en particulier. Ces questions et beaucoup d'autres ne cachent pas toujours des arrières-pensées négatives, fort heureusement, mais la curiosité des détenus sur certains sujets mérite néanmoins d'être confrontée afin de connaître le but véritable de leur démarche, pour ensuite déterminer si une réponse doit être rendue.

Il y a quelques années, une arme à feu ainsi qu'une importante quantité de munitions ont failli tomber dans les mains de détenus alors que le tout était dissimulé à l'intérieur d'une bûche de bois spécialement encavée à cette fin. Quelques jours auparavant, une livraison de bois de chauffage avait été déposée à l'extérieur du périmètre de sécurité de l'établissement. Ce bois devait servir dans le cadre d'un programme d'activité, permettant aux individus incarcérés de faire des feux de camp dans des endroits aménagés à cet effet dans la cour extérieure. Lorsque le bois fut livré, certains détenus pressaient le personnel de questions pour savoir quand ils y auraient finalement accès. Leur insistance à obtenir ce renseignement a mis la puce à l'oreille de certains employés et heureusement, l'arme et les munitions ont été retrouvées avant qu'elles ne servent à commettre des actes de violence.

Des fonctionnaires expérimentés ayant développé leur sens d'observation ainsi qu'une bonne acuité d'esprit se rendent compte parfois de l'attitude et des propos inhabituels de certains détenus, sans toutefois être capables de préciser la nature de leurs soupçons. Une telle vigilance est certainement appréciable et peut être utile pour les responsables de l'institution si elle apporte des éléments d'informations supplémentaires à un dossier d'enquête déjà actif; mais encore faut-il les communiquer même si, à première vue, elles paraissent banales.

Une quantité incroyable d'observations et de renseignements divers se perdent quotidiennement, simplement parce que ceux qui les détiennent négligent de les signaler à l'agent responsable de les colliger et de les analyser. Après un événement regrettable, on entend parfois des individus qui avouent avoir constaté des signes précurseurs, sans toutefois les avoir rapportés aux autorités, car ils ne savaient pas si ces indices étaient fondés. D'autres craignent que leurs intuitions soient perçues comme des signes de paranoïa et, afin de maintenir la confiance de leurs pairs, ils préfèrent ne rien dévoiler tant qu'ils ne découvriront pas toutes les preuves qui permettront de mettre fin aux activités ou au projet illicites. Toutefois, cette tâche incombe à l'agent de renseignements ou à l'analyste qui traite toutes les informations qui lui sont soumises. Comme dans toutes les organisations et peut-être davantage en milieu carcéral, la communication entre employés s'avère donc cruciale. Une communication efficace doit cependant comporter deux éléments, c'est-à-dire l'émetteur et le récepteur. Transmettre des indications à un partenaire est fort louable, mais il faut aussi que ce dernier traite convenablement le message reçu.

Dans une autre situation, nous avons eu connaissance d'un agent de correction qui a entendu de son *talkie-walkie* un message signalant la présence d'un rôdeur dans un champ, aux abords du pénitencier. Sans prendre le temps de vérifier, cet agent s'est aussitôt emparé de son émetteur-récepteur portatif pour avertir ses confrères de ne pas se déranger puisqu'il s'agissait sûrement d'un étudiant du collège voisin. L'agent de correction partageait ainsi ses expériences passées et voulait certainement éviter un déplacement inutile, mais il prenait là un risque inconsidéré puisqu'il ne pouvait évidemment pas avoir la certitude que cette présence n'était pas menaçante.

Dans notre enfance, nous avons tous entendu l'histoire de « Pierre et le loup » où les habitants d'un village sont inutilement alertés parce que le fauve vorace est sur le point de s'en prendre à un jeune plaisantin. Le jour où l'incident tant redouté survient réellement, personne n'ose y croire. Or, malgré l'exaspération, il faut toujours répondre à l'appel correctement car, ne l'oublions pas, les détenus ont aussi entendu cette histoire et ils tentent parfois d'exploiter ce réflexe humain que nous avons tous après plusieurs fausses alarmes.

L'exemple le plus connu et qui a même été repris dans une production hollywoodienne est le cas de ce détenu qui a pris l'habitude de dormir en dissimulant sa tête sous ses couvertures ou en ne laissant paraître qu'une partie de ses cheveux. Toutes les nuits, les gardiens qui font leur tournée et qui ne peuvent apercevoir son visage doivent le réveiller et composer ensuite avec sa mauvaise humeur, jusqu'au jour où la routine aura raison des consignes de sécurité et qu'on négligera de vérifier s'il y a vraiment un occupant dans la cellule. Avec le temps, le détenu aura donc réussi à inculquer un mauvais réflexe à son gardien et, au moment propice, il confectionnera un mannequin qu'il placera sur son grabat en guise de diversion pour faciliter son évasion.

La routine est la pire ennemie des employés correctionnels puisqu'elle annihile les réflexes de prudence qui incitent à demeurer alerte et précautionneux.

Nous pouvons citer différents événements où des agents de correction ont perdu des munitions entre le moment où ils en ont pris possession et le moment où ils sont arrivés à leur poste de garde, mais ils n'ont réalisé ce fait qu'à la fin de leur quart de travail. En réalité, les balles furent comptées lorsqu'elles ont été remises en main propre à l'agent de correction, mais celui-ci en a égaré une ou plusieurs en transportant tout son attirail à son lieu de travail et, une fois rendu, il a négligé de refaire le compte de ses munitions comme prévu. Or, il est toujours inquiétant de savoir que des cartouches perdues peuvent se retrouver entre les mains des détenus.

Une situation encore plus dramatique s'est produite dans un hôpital où était gardé un détenu. Cet hôpital est conçu avec une chambre sécuritaire, bien verrouillée, dans laquelle repose le patient. Pour accéder à cette chambre, on doit passer par une antichambre tout aussi sécuritaire et dans la quelle sont postés deux gardes, dont l'un est toujours armé et veille à la protection de son confrère, lorsque celui-ci doit se rendre auprès du détenu. Les consignes exigent que l'agent de correction qui est armé porte en tout temps son arme à la ceinture. Lorsque celui-ci doit quitter son poste pour aller aux toilettes ou pour prendre son repas, il doit laisser son arme à son partenaire qui attendra son retour, s'il doit retourner auprès du détenu. La routine a toutefois modifié cette bonne pratique et plutôt que de porter et d'enlever son arme plusieurs fois par jour, l'agent de correction a préféré laisser son revolver sur le coin de son bureau. Au cours de la journée, différents papiers ont été étalés sur ce bureau pour ensuite être jetés à la poubelle. Puis, comme à l'habitude, le concierge est venu vider les poubelles. À la fin de son quart de travail, l'employé voulant quitter son poste ne retrouvait plus son arme à feu pour la remettre à celui qui venait assurer sa relève. Une fouille des lieux n'ayant donné aucun résultat, ce n'est que quelques heures plus tard, dans le conteneur à déchets de l'hôpital qu'on a enfin retrouvé le revolver chargé.

Ce genre d'incident illustre bien le fait que de ne pas être impliqué dans des incidents de sécurité au travail pendant plusieurs mois, contribue à atténuer la vigilance et favorise l'acquisition d'habitudes néfastes. Dans le cas présent, ce gardien n'était certainement pas prêt à réagir car, pendant de longues heures, il ne savait même pas où était son arme. On peut comparer une situation d'urgence en milieu correctionnel à une partie de baseball où chaque joueur doit toujours être prêt à attraper une balle frappée dans sa direction et avoir déjà planifié à qui il devra la lancer lorsqu'elle sera en sa possession. Un manque de préparation risque donc de faire toute la différence entre une réaction efficace et une réponse maladroite. Malgré cela, certains apportent régulièrement une revue ou un journal à leur poste de travail ce qui est formellement interdit. D'autres qui sont accablés par la monotonie et les longues heures de travail sommeilleront pendant leur vigile. À l'opposé, on verra des agents de correction qui se regroupent pour jaser de choses et d'autres, alors qu'ils devraient plutôt assurer une garde attentionnée du secteur sous leur responsabilité. Ces comportements fautifs sont vite repérés par les détenus qui ont l'intention de profiter de ces faiblesses.

Certains individus peuvent être très méticuleux dans certaines facettes de leur travail mais, en contrepartie, ils oublient ou négligent d'autres aspects qui ont pourtant leur importance. Voici une autre situation vécue, exemple fort éloquent à cet égard.

En se rendant dans un pénitencier, un gestionnaire d'un autre établissement s'est présenté, comme il se doit, à l'agent de correction en poste à la porte d'entrée et celui-ci, conformément aux procédures en vigueur, l'a informé qu'il devait procéder à une fouille d'usage. Le gestionnaire a donc déposé sa mallette au sol et s'est prêté de bon gré à cet examen routinier. Il a alors pu apprécier l'application dont faisait preuve cet employé dans l'accomplissement de sa tâche. De toute évidence, il savait que le gestionnaire se préoccuppait beaucoup de la sécurité et il voulait certainement démontrer sa capacité à appliquer les consignes dans les moindres détails. Lorsqu'il eut enfin terminé, le gestionnaire reprit sa mallette et put accéder à l'établissement sans qu'on porte attention à ce qu'il transportait.

Un certain nombre de fonctionnaires occupent des postes de professionnels et passent la majorité de leur temps dans un bureau où ils reçoivent des détenus en entrevue. Or, pendant leurs temps libres, certains en profitent pour régler quelques affaires personnelles et négligent de ranger, ou laissent par inadvertance, des papiers sur lesquels figurent divers renseignements personnels susceptibles de profiter aux délinquants.

Il est surprenant de constater à quel point les employés qui œuvrent dans des bureaux laissent une quantité incroyable de documents et d'articles divers sur leur table de travail lorsqu'ils rencontrent un détenu. Le manque d'organisation ou le fait de travailler dans un désordre facilitent sans aucun doute la tâche de celui qui a l'intention de subtiliser quelque objet ou qui cherche l'item qui pourrait le servir dans ses sombres projets, peut-être même lors d'une prise d'otage. Dans le passé des mutins, ont déjà pointé sur la gorge de leur otage une règle, une paire de ciseaux ou un simple stylo, comme quoi des objets simples et d'usage courant peuvent s'avérer dangereux.

On a déjà retrouvé dans un pavillon cellulaire la liste des employés d'un établissement ainsi que leur adresse personnelle. Une telle découverte a provoqué une véritable commotion chez les employés qui, du même coup, ont commencé à craindre pour leur quiétude et la sécurité de leur famille. Un tel butin pour les détenus, même s'ils n'ont pas l'intention ou la possibilité de s'en prendre aux biens ou aux familles des employés, constitue néanmoins un outil de chantage indéniable, car même si la liste a été retrouvée, on ne peut avoir la certude qu'il n'y a pas eu mémorisation ou reproduction.

Les autorités carcérales choisissent normalement un certain nombre de détenus pour travailler dans le secteur administratif de l'établissement. Leurs tâches sont généralement de s'occuper de l'entretien ménager et, dans quelques cas, on les utilise pour effectuer un peu de travail clérical. Ces individus ont donc un accès beaucoup plus facile aux bureaux, aux documents et aux informations qui sont sous la responsabilité des fonctionnaires. Il leur est donc aisé de profiter d'un moment d'inattention pour subtiliser tout ce qui pourrait servir une cause illicite.

Dans les établissements à sécurité plus élevée où la loi du milieu est plus forte, la population carcérale accepte mal que certains des leurs viennent travailler auprès des fonctionnaires à moins, bien entendu, qu'ils n'en retirent des bénéfices. Les employés correctionnels ont donc tout intérêt à bien surveiller les détenus qui oeuvrent dans leur environnement. Pourtant, ici comme ailleurs, la routine s'installe et on pense bien connaître celui qui vient poliment vider les corbeilles à papier et laver les planchers. Puis, un jour, alors qu'on est trop concentré sur son propre travail, on supervise d'un oeil distrait celui qui, à la vitesse d'un illusionniste, réussit à faire disparaître un objet ou un document convoité. Certains délinquants encore plus rusés ont développé l'indiscrète habitude de lire des textes à l'envers. Il est donc préférable de ne rien laisser traîner : que ce soit des documents, des clés, des outils, un bout de fil ou tout autre objet.

Lors des nombreuses fouilles effectuées dans les établissements de détention, on retrouve une quantité incroyable d'objets hétéroclites considérés comme étant de la contrebande et qui, dans certains cas, représentent un réel danger pour la sécurité. Parmi ces objets, signalons les innombrables pics artisanaux, les alambics servant à distiller de l'alcool frelatée, les « poings américains », les *zip guns* ou *pen guns* qui sont des armes à feu artisanales, les rossignols, les clés de menottes, les seringues, les instruments de tatouage et de nombreux autres articles généralement fabriqués avec des moyens de fortune.

Des choses d'apparence anodine aux yeux de personnes bien pensantes peuvent parfois être d'une grande utilité pour un criminel qui planifie un sombre projet. Ainsi, rappelons le cas où des détenus avaient réussi à fabriquer une arme à feu artisanale et le seul élément qui leur manquait pour rendre l'arme fonctionnelle était un ressort. Dans un autre cas, une arme à feu fort efficace a été fabriquée avec une de ces petites pompes que les asthmatiques utilisent pour régulariser leur respiration. On se rend compte que des délinquants incarcérés sont constamment à l'affût d'idées et de projets malveillants.

Dans les opérations quotidiennes, le personnel des prisons et pénitenciers a parfois tendance à oublier qu'il côtoie certains individus dont la notoriété est grande dans le monde interlope et qui, par conséquent, disposent des moyens et des ressources pour appuyer leurs projets illicites. Un bibliothécaire oeuvrant dans un pénitencier a pris conscience de cette réalité, bien malgré lui, il y a plusieurs années. Celui-ci, probablement par complaisance pour un détenu, a accepté d'aller prendre possession d'un colis chez la mère de ce dernier en croyant candidement qu'il s'agissait d'un don de revues ou de livres que la bonne dame remettait à l'institution et qui pourrait profiter par ricochet à son fils. Toutefois, le bibliothécaire a eu un doute lorsqu'il eut le paquet en mains et il décida d'en vérifier le contenu avant de l'apporter au pénitencier. Or, quelle ne fut pas sa surprise lorsqu'il constata être en possession d'explosifs. Ayant agi de son propre gré, sans avertir qui que ce soit, le bibliothécaire se sentait alors coincé entre : la réprobation que lui servirait les autorités de l'institution pour avoir dérogé au code de conduite lorsqu'il avouerait son initiative; les risques considérables qu'il prenait s'il décidait malgré tout de feindre l'ignorance et d'apporter le dangereux colis à destination; la peur de représailles venant d'un délinquant pour le moins déterminé et déçu de la tournure des événements.

Finalement, cet employé a contacté le directeur de la sécurité pour lui témoigner son désarroi et demander de l'aide. Malgré l'erreur commise, il a au moins eu le courage de faire face au problème avant que celui-ci ne prenne des proportions dramatiques.

Une autre anecdote semblable implique cette fois-ci l'aumônier d'un établissement carcéral. Comme ses fonctions l'exigent, celui-ci avait développé un bon contact avec un certain nombre de détenus et il était intéressé à aider cette clientèle nécessiteuse. Un jour, un détenu lui a expliqué qu'il se passionnait pour la musique et qu'il passait beaucoup de temps libre à jouer de la guitare électrique. Toutefois, son instrument de musique était, semble-t-il, incomplet sans l'ajout d'une pédale qui lui permettrait d'obtenir une plus grande variété d'effets sonores. Malheureusement, il ne pouvait obtenir, selon ses dires, cette pièce d'équipement avant un certain temps, car la personne censée lui apporter n'était pas en mesure de venir comme il le souhaitait. L'aumônier bienveillant a alors accepté d'aller lui chercher cette pièce tant convoitée par ce détenu d'apparence sincère et motivée. Afin de respecter les règles de l'établissement, le bon samaritain a même rédigé les papiers nécessaires pour enregistrer officiellement cet article parmi la liste des effets personnels autorisés du détenu. Toutefois, malgré le fait que cet article soit entré directement par le biais d'un employé, les contrôles sécuritaires ont quand même permis de constater que la pédale recelait une quantité appréciable de drogue. L'aumônier, probablement aussi surpris qu'embarrassé, dut inévitablement composer avec les conséquences administratives et disciplinaires pour avoir pris l'initiative d'accorder un passe-droit à un détenu. Les exemples d'imprudence et de naïveté de ce genre sont toujours trop nombreux dans les prisons et pénitenciers. Des intervenants bien intentionnés se font malheureusement manipuler et exploiter par des détenus sans scrupules aux propos attendrissants.

Une clientèle aux aguets

Tous les membres du personnel correctionnel ont des tâches similaires à accomplir et les règles de conduites sont les mêmes pour tous. Cependant, chacun présente des signes distinctifs par sa personnalité, ses réactions, son seuil de tolérance, sa bonhomie, son engagement au travail et tant d'autres caractéristiques. Or, les détenus repèrent vite ces différences entre chacun et ils cataloguent tout aussi rapidement ceux qui sont les plus susceptibles de répondre favorablement à leur demande. Bien que le rôle des gardiens soit d'observer les personnes incarcérées, on se rend également compte que ces gardiens n'en sont pas moins observés eux-mêmes. De plus, l'ensemble du personnel est régulièrement testé ou mis à l'épreuve par les délinquants afin de connaître les limites et le caractère de chacun. Cette attitude est tout à fait normale, particulièrement dans un contexte d'autorité. Les enfants agissent de la sorte avec leurs parents et les élèves font de même avec leurs professeurs. Il importe alors que le personnel des établissements de correction soit conscient de cette réalité et qu'il réagisse fermement et efficacement face aux détenus qui cherchent à étendre leur marge de manoeuvre au-delà de ce qui est acceptable.

Les fonctionnaires deviennent des cibles de choix lorsqu'ils : ont une attitude insouciante au travail, ne semblent pas préoccupés par la sécurité, ne vérifient jamais ou rarement les propos des détenus, ou, omettent de leur poser des questions sur leurs agissements. Les détenus connaissent généralement bien le travail des employés correctionnels et ils repèrent rapidement ceux qui n'accomplissent pas leurs tâches avec professionnalisme ou ceux qui sont plus faibles et naïfs, car ils seront certainement plus faciles à manipuler ou à déjouer lorsqu'un piège leur sera tendu.

Les délinquants sont également fort habiles pour exploiter les consignes divergentes émises par les membres du personnel. Ainsi, après avoir essuyé un refus, le délinquant ira souvent tenter sa chance auprès d'un autre employé en espérant obtenir une réponse favorable. Lorsqu'un enfant a gain de cause après avoir sollicité chacun de ses parents à tour de rôle, on peut généralement conclure que les conséquences seront négligeables et que la divergence devrait se régler aussitôt que les deux figures d'autorité auront fait le point. La situation est toutefois beaucoup plus complexe dans un centre de détention où les intervenants sont nombreux et les répercussions plus dangereuses. Il est donc essentiel d'établir un bon réseau de communication afin de bien faire connaître les lignes directrices à suivre et rendre homogènes les décisions issues du travail d'équipe. Il est aussi impérieux de ne pas laisser transparaître les inévitables désaccords entre confrères et consoeurs de travail, car les détenus en profitent pour réveiller les conflits et semer la zizanie. La confiance, le moral et la motivation des travailleurs peuvent alors subir un dur coup.

Certaines personnes incarcérées ont un long passé de manipulation à leur actif, si bien qu'elles ont développé une personnalité et une vivacité d'esprit qui leur permettent de mentir habilement et quasi naturellement. Leur discours très persuasif est truffé de paroles touchantes au point où leur interlocuteur se laisse manipuler et répond aux attentes qui lui sont formulées, sans vraiment s'en rendre compte. Dans bien des cas, il s'agit d'une caractéristique que l'on retrouve chez les individus institutionnalisés qui assurent ainsi leur propre survie.

Si ces criminels réussissent à escroquer d'importantes entreprises, des hommes d'affaires et des gouvernements pour plusieurs milliers de dollars, il ne faut pas se surprendre que ces mêmes imposteurs réussissent parfois à leurrer ou semer la brouille chez les agents de correction.

Dans un pénitencier, une évasion digne des meilleurs scénarios de film a réussi, il y a quelques années, grâce à l'habile supercherie d'un détenu. Le sujet en question était emprisonné au centre de soins de l'établissement pour y recevoir les traitements particuliers que requérait son état de santé. Dans les circonstances, il profite de la tranquillité des lieux et des contacts privilégiés qu'il peut entretenir avec l'infirmière en devoir afin de solliciter l'autorisation de faire un appel téléphonique. Celle-ci a accédé à la demande du détenu, probablement en considérant cette démarche légitime, d'autant plus que l'ensemble des individus incarcérés au pénitencier ont généralement accès assez librement à ce privilège.

Le détenu a donc logé un appel téléphonique, non pas à un de ses proches, mais bien à la centrale téléphonique de l'établissement où il était incarcéré. Sous une fausse identité, il a alors expliqué à son interlocuteur qu'il était un officier supérieur des Services secrets de la Gendarmerie royale du Canada et qu'il devait absolument parler au responsable de l'établissement, concernant deux agents doubles qui étaient supposément incarcérés à l'institution dans le but de mener une enquête très délicate. Étant donné que ces événements se produisent un dimanche soir et que le directeur est absent, l'appel est alors acheminé au surveillant en chef que nous appellerons M. Lebrun dans les circonstances présentes. Le détenu reprend alors ses explications sur son identité fictive et précise que les agents doubles qui personnifient des détenus enquêtent sur des membres de la direction. Il ajoute que l'enquête tire à sa fin et que des mandats d'arrestation sont sur le point d'être émis. Auparavant, il mentionne qu'il doit absolument parler à un des agents doubles pour organiser une rencontre afin qu'il prenne possession de documents qui permettront de finaliser la preuve, de porter des accusations et per-mettre enfin la sortie des agents doubles.

Le surveillant Lebrun précise alors qu'il ne peut faire sortir qui que ce soit du pénitencier sans avoir en mains les papiers officiels qui autorisent la libération. Malgré tout, le détenu continue à le mettre en confiance tout en dévoilant petit à petit des détails de l'opération secrète. Finalement, il mentionne qu'il doit faire quelques vérifications et qu'il rappellera un peu plus tard.

Tel que convenu, le surveillant responsable de l'établissement reçoit un autre appel l'informant cette fois-ci que l'opération est reportée de 24 heures. Étant donné ce délai, l'interlocuteur de M. Lebrun demande d'entrer en contact avec son agent secret et il précise alors le nom du détenu tout en mentionnant qu'il s'agit d'un nom fictif. Pour ajouter à l'intrigue et confondre davantage son interlocuteur, ce pseudo-officier supérieur révèle un mot de code pour entrer en contact avec l'agent double, ce qui permettra de discuter en confiance.

Le surveillant Lebrun constate alors qu'un détenu incarcéré à l'hôpital interne correspond aux informations reçues. Il va donc à la rencontre du détenu et lui mentionne le mot de code. Le détenu s'identifie donc comme étant M. Lepage tout en spécifiant qu'il est un agent double. Le surveillant ne reconnaît pas la voix du détenu et ne doute aucunement qu'il s'agit du même individu avec qui il a discuté au téléphone un peu plus tôt. Lebrun informe donc le détenu qu'il a reçu un appel d'un officier supérieur. Le détenu Lepage questionne alors dans le but de savoir s'il s'agissait d'un anglophone ou d'un francophone. En fonction de la réponse reçue, il affirme qu'il s'agit sûrement de l'officier X ce qui ajoute à la confiance du surveillant. Le détenu, sous sa fausse identité, rappelle l'importance de l'opération et la nécessité de ne rien dévoiler à qui que ce soit. Les deux individus conviennent alors de se revoir le lendemain.

Le lundi matin, une nouvelle rencontre a lieu. Le prétendu agent secret Lepage en profite pour solliciter des appels téléphoniques à Ottawa. Le surveillant contrôle donc les numéros composés en s'assurant de l'identité de l'interlocuteur au bout du fil. Il constate qu'on répond « Gendarmerie royale du Canada » et satisfait, il remet l'appareil téléphonique à Lepage. Celui-ci, sachant que le surveillant qui est à ses côtés ne peut entendre que ses propos, en profite donc pour raconter différents détails qui ajoutent à la crédibilité de son histoire. L'interlocuteur de la Gendarmerie royale du Canada qui a effectivement reçu l'appel a eu tôt fait de raccrocher en constatant l'incompréhensibilité du discours qu'il entendait.

Le détenu poursuit ensuite la conversation avec le fonctionnaire qui croit de plus en plus en lui. Il insiste sur le fait que l'opération tire à sa fin et qu'il doit assurer sa sortie du pénitencier le plus discrètement possible. On discute aussi de nombreux autres détails qui ajoutent toujours à la confiance du surveillant Lebrun. Au terme de cet entretien, une autre rencontre est fixée plus tard dans la journée.

Au moment convenu, Lebrun retourne donc à l'hôpital interne pour y rencontrer Lepage. Cet échange permettra au détenu de loger encore de nombreux appels téléphoniques à des interlocuteurs fantômes sans que le surveillant correctionnel ne soupçonne quoi que ce soit. Le détenu mentionne ensuite qu'il aurait besoin de l'aide de Lebrun pour aller rencontrer son superviseur, et prendre possession de papiers officiels dans une ville avoisinante. De plus, il s'enquiert de l'identité du surveillant responsable qui assurera la relève sur le quart de soir tout en demandant s'il s'agit d'un fonctionnaire fiable, dans le cadre d'une telle opération.

Peu après le début du quart du soir, le fonctionnaire Lebrun, qui n'a pas encore quitté l'établissement, convoque à l'hôpital interne le surveillant responsable qui est alors en devoir. Ce dernier que nous identifierons sous le nom de Dupuis se fait alors présenter le pseudo-agent double Lepage. Le détenu arnaque maintenant ce deuxième surveillant. Il en profite pour loger d'autres appels téléphoniques qui ont toujours une apparence véridique. Tout comme son prédécesseur, Dupuis vérifie l'identité de la personne qui reçoit l'appel et, encore une fois, on identifie la Gendarmerie royale du Canada.

Lepage avise Lebrun qu'une rencontre doit avoir lieu au bureau de détachement de la Gendarmerie royale du Canada, situé à une cinquantaine de kilomètres du pénitencier et il lui demande de bien vouloir s'y rendre en son nom pour l'aider à finaliser le dossier. Lebrun obtempère et quitte immédiatement les lieux pour se rendre à destination. Pour sa part, Dupuis demeure avec Lepage et celui-ci continue à jouer son rôle à la perfection. Suite à de nouveaux appels téléphoniques, le détenu imposteur mentionne maintenant que ses supérieurs viennent de lui demander expressément ses propres documents incriminants qu'il cache à l'intérieur de son téléviseur, sans quoi toute l'opération risque d'échouer. Le surveillant Dupuis offre donc d'envoyer quelqu'un pour transmettre ces papiers. Lepage accepte aussitôt et demande à loger un autre appel téléphonique à ses supérieurs. Suite à la conversation fictive, il affirme que cette façon de procéder ne peut être acceptée et qu'il doit se rendre lui-même.

Le surveillant Dupuis qui est très en confiance convoque alors un des gardiens les plus fiables et lui fait part de l'essentiel de l'opération. Il demande ensuite à ce gardien d'escorter le détenu dans un lieu prédéterminé à proximité du pénitencier afin qu'il puisse remettre les documents requis.

Une fois dans le véhicule, le détenu rectifie la destination, et son escorte, convaincu lui aussi qu'il est en compagnie d'un agent secret, n'hésite pas à obéir à cette demande. Les deux individus se retrouvent donc, un peu plus tard, dans un centre d'accueil pour personnes âgées. La réceptionniste les reçoit cordialement et autorise même un appel téléphonique à la demande du détenu. Celui-ci, vêtu de son pyjama vert de l'hôpital, est facilement confondu avec les professionnels de la santé qui portent généralement des vêtements similaires. Cette situation facilite davantage ses fausses représentations auprès du personnel du centre d'accueil.

Le temps s'écoule toutefois et, à l'établissement pénitentiaire, le surveillant Dupuis commence à s'inquiéter. Au même moment, son collègue Lebrun lui téléphone pour l'aviser que le rendez-vous avec l'officier supérieur de la police n'était qu'un piège, puisqu'il n'y avait personne pour l'attendre et que le bureau de détachement de la Gendarmerie royale du Canada était fermé à cette heure tardive.

Complètement médusés, les deux hommes prennent alors conscience de l'ampleur de la supercherie et pour Lebrun, la stupéfaction est encore plus grande lorsqu'il apprend que le détenu a quitté l'établissement avec un agent escorteur. Aussitôt, la police est avisée et des recherches sont entreprises pour retracer le détenu et son agent escorteur pour qui on éprouve une vive inquiétude. Toutefois, les recherches ne sont pas effectuées dans la bonne région puisque le surveillant Dupuis ignore que son employé s'est dirigé vers une autre destination que celle prévue.

Pendant ce temps, le détenu quitte son escorte sous prétexte d'aller rencontrer son contact. Ce n'est qu'une trentaine de minutes plus tard que Lepage reviendra auprès de l'agent de correction qui l'attendait. Il lui dit à ce moment qu'il doit prendre possession de son téléviseur laissé dans le véhicule, car il a besoin des éléments de preuves qu'il a cachés à l'intérieur. Le détenu quitte alors une seconde fois le fonctionnaire et s'engouffre discrètement dans un taxi qu'il abandonnera beaucoup plus loin sans acquitter le montant de la course, bien entendu.

Cette histoire invraisemblable dont nous avons éliminé plusieurs détails prouve quand même à quel point un fraudeur convaincant peut réussir à tromper des employés d'expérience, en gagnant peu à peu leur confiance, tout en faisant preuve d'une certaine ruse et surtout en démontrant une audace qui n'a d'égale que son désir de liberté.

Sans partager l'issue de l'enquête qui a suivie cet événement, nous pouvons à tout le moins réaffirmer que les employés n'ont pas agi par complicité mais bien par naïveté, en croyant légitimement qu'ils prêtaient assistance à un véritable enquêteur.

Les pièges et les menaces constantes qui guettent le personnel des établissements carcéraux nécessitent donc une acuité d'esprit et une vigilance tout aussi constantes malgré la monotonie de la routine, puisque tout relâchement sera vite repéré par un élément malveillant qui est à l'affût d'un sujet vulnérable.

LA FAMILIARITÉ

Qu'en est-il?

Le type qui verse dans la familiarité est celui qui, soucieux de son image auprès des détenus, néglige ses rôles d'autorité et de contrôle au profit d'une attitude complaisante et non menaçante. Par la familiarité, l'employé correctionnel cherchera à développer des rapports d'égal à égal avec la clientèle carcérale en imposant le moins possible son pouvoir. Lorsque la situation l'exige, il peut cependant s'ajuster et se consacrer davantage à un rôle où il doit établir l'ordre et la discipline, mais à cet égard, il n'est certes pas pro-actif ni en tête de file. Il préfère donc la facilité et les situations non compromettantes, plutôt que ces tâches ingrates et impopulaires auprès des détenus. Ses interventions et son attitude sont essentiellement guidées par son désir d'être perçu positivement et apprécié des détenus. L'estime de la population carcérale ne lui est toutefois pas acquise pour autant, car le code des détenus ou cette fameuse « loi du milieu », ne cautionne pas le fait que certains des leurs fraternisent avec les gardiens. Malgré tout, lorsque des rapports plus étroits s'établissent entre des membres du personnel et des détenus, il ne faut pas conclure qu'il s'agit là de liens sincères, mais plutôt d'une relation utilitaire où les deux parties y trouvent leur compte. Pour l'individu incarcéré, il s'agit d'un contact qu'il pourra exploiter pour édulcorer ses conditions de détention. Ainsi, il profitera de l'ouverture qui lui est manifestée pour tenter d'obtenir des privilèges supplémentaires ou se défiler de certaines exigences ou contrôles sécuritaires ou encore, pour déjouer la vigilance de celui qui doit le surveiller. Pour l'employé correctionnel, il s'agit trop souvent d'une manière déguisée de cacher sa difficulté d'assumer le rôle d'autorité qui lui est dévolu. Son insécurité face au milieu avec lequel il doit composer l'incite à développer une approche empreinte de fausse camaraderie ayant pour but de glorifier son image auprès de ces individus dont le réflexe est généralement de manifester de l'arrogance, du mépris et du rejet à l'égard des figures d'autorité. En adoptant un style affable et débonnaire, l'employé évite donc les confrontations et les réactions agressives.

Les liens entre le personnel des centres de détention et les individus qui y sont incarcérés ne peuvent être empreints d'une véritable amitié en raison de l'inégalité des rapports entre les deux partis et du contexte dans lequel les contacts ont lieu. Toutefois, les détenus savent apprécier les employés qui ont une attitude franche et sincère avec eux. Une telle approche leur permet de progresser et d'évoluer à travers le système grâce à la relation d'aide et aux conseils qui leur sont prodigués. À l'inverse, un comportement artificiel et complaisant a beaucoup plus de chances d'être perçu comme étant non sincère et éphémère, puisque l'employé indulgent reviendra à son rôle original lorsqu'il sera en présence de son superviseur ou en compagnie de certains collègues de travail ou encore lorsqu'il réalisera qu'il est sur le point de se faire berner par ceux qui exploitent sa mansuétude.

D'autres succomberont au piège de la familiarité, mais avec quelques détenus seulement. Les employés correctionnels se considèrent généralement différents des personnes incarcérées et ce, tant par leur culture, leurs antécédents et leur philosophie de vie. Cependant, dans certains cas, ils peuvent découvrir parmi la population carcérale, des éléments avec qui ils ont des points en commun. Il peut s'agir de leurs origines, leur langue, certaines expériences de vie ou tout simplement des intérêts ou des passions qu'ils partagent. C'est donc avec ces quelques détenus perçus différemment des autres que des employés créeront un rapprochement ou des liens plus étroits, ce qui risque forcément de compromettre leur impartialité.

Finalement, un autre type d'intervenant qui se rend vulnérable est celui qui, par sa nature, s'avère toujours très chaleureux et amical avec tout son entourage. Cette attitude enthousiaste et sociable est fort louable dans la société en général, mais à l'intérieur d'une prison ou d'un pénitencier, cette approche contraste nettement avec la nature des contacts que le personnel correctionnel entretient avec les délinquants. Une telle démonstration de familiarité est rapidement interprétée par ces détenus comme une ouverture possible à une quelconque complicité et ce, même s'il en est tout autrement dans l'esprit et les intentions du principal intéressé. Les individus qui agissent ainsi ne semblent pas prendre conscience du milieu dans lequel ils évoluent. Pourtant, les pièges sont toujours présents et la clientèle carcérale identifie rapidement les éléments les plus vulnérables et susceptibles de se faire manipuler. Les employés qui entrent dans cette catégorie pourraient tout aussi bien être identifiés comme « naïfs-négligents » tels que nous les avons décrits au chapitre précédent.

En dénonçant une approche trop familière avec les détenus, il ne faut pas croire pour autant que nous valorisons les contacts austères, froids, rigides et dépouillés d'humour et de fantaisie. Bien au contraire, nous estimons qu'une certaine convivialité est possible entre gardiens et gardés, mais il faut toutefois maintenir la marge de respect qu'impose le rôle d'autorité des employés correctionnels.

Voyons donc certaines formes que peuvent prendre les pièges de la familiarité et surtout, de quelle façon ces personnes se rendent vulnérables.

Une multitude de pièges

Ceux qui entretiennent des rapports trop étroits avec les détenus auront tendance à accorder des privilèges spéciaux qui vont au-delà de leur pouvoir discriminatoire. Ainsi, à titre d'exemple, mentionnons ces nombreuses occasions où des professionnels, des instructeurs ou des aumôniers ont autorisé des détenus à faire des appels à partir de leur propre poste téléphonique, et ce, sans être soumis aux contrôles sécuritaires et sans être comptabilisés parmi le nombre d'appels hebdomadaires ou mensuels autorisés.

D'autres développent l'habitude de donner de petits cadeaux à des détenus qu'ils estiment plus méritants. Il peut s'agir d'un simple stylo, d'un calendrier, d'un magazine quelconque ou du journal quotidien que l'employé apporte furtivement pour lire à son poste de travail.

Toutes ces actions ne sont pas nécessairement répréhensibles et peuvent très bien s'inscrire dans le cadre d'un programme d'encouragement quelconque. Cependant, si les règles pour obtenir ces gratifications ne sont pas connues de tous les détenus ou si le programme d'encouragement est une initiative individuelle non reconnue officiellement, il est fort possible que le fonctionnaire en cause soit perçu, à tort ou à raison, comme étant faible et facile à exploiter. Les détenus seront donc tentés de le compromettre davantage en lui formulant diverses demandes inusitées et tendancieuses. Plus l'employé correctionnel s'aventurera dans cette voie trouble, plus il sera à la merci des abuseurs, car ceux-ci savent bien qu'il a transgressé sa ligne de conduite et qu'il s'expose forcément à des réprimandes et à perdre la confiance de ses supérieurs. Peu à peu, il est soumis à une forme de chantage de la part des détenus qui exercent une emprise grandissante sur lui et le malheureux se voit toujours sollicité pour rendre un « dernier service ». Viendra un moment où l'employé franchira un point de non-retour alors qu'il craindra, d'une part, les sanctions sévères de son employeur et peut être même son congédiement ou, d'autre part, les représailles ou le chantage possibles que pourraient lui faire subir les délinquants. Nous tenterons d'illustrer ce phénomène un peu plus loin.

Si des employés correctionnels se rendent vulnérables par les actions qu'ils posent, d'autres, au contraire, sont fautifs par leur inaction. Ainsi, il n'est pas rare de constater que des individus assumant un rôle d'autorité choisissent de fermer les yeux sur des infractions mineures, et parfois graves, commises par des détenus. Cette passivité peut souvent s'expliquer par la crainte de l'intervenant d'être perçu comme une menace ou un renégat dans un contexte de relation d'aide où un climat de confiance s'était déjà établi. Tous les membres du personnel disposent d'un certain pouvoir discrétionnaire sur les actions qu'ils doivent prendre.

Toutefois, lorsqu'ils n'interviennent pas quand les délinquants commettent des actes répréhensibles, ils se rendent vulnérables et risquent de vivre d'autres situations encore plus corsées. Si aucune mesure officielle n'est prise contre le détenu fautif, il faudrait au moins procéder à une rencontre individuelle avec celui-ci pour faire le point sur l'événement et lui signifier les limites acceptables.

L'absence d'implication de certains employés peut aussi se traduire par un laxisme évident dans l'accomplissement de tâches sécuritaires, telles des fouilles de cellule ou d'effets personnels appartement à divers détenus ou encore en omettant de questionner ou de confronter ceux-ci lorsque la situation l'exige. Quelques-uns mentionnent qu'ils connaissent tellement bien certains éléments de la population carcérale qu'ils sont capables de flairer le comportement anormal d'un individu. D'autres avouent qu'ils préfèrent passer outre quelques formalités sécuritaires afin de ne pas irriter la susceptibilité de certains délinquants et compromettre, du même coup, une relation salutaire qu'ils ont parfois réussi à développer laborieusement au fil du temps. Ces derniers ont tendance à rationaliser en affirmant que les bons contacts qu'ils entretiennent avec les détenus leur permettent d'assurer une sécurité dynamique aussi valable, sinon davantage, que les vérifications et contrôles formels sans but précis.

Bien que cette perception ait une part de vérité, nous croyons néanmoins que ces employés prennent des risques inutiles lorsqu'ils n'accomplissent pas leur rôle, conformément aux attentes. Nous avons mentionné précédemment que les détenus sont attentifs aux moindres gestes du personnel correctionnel et ils remarquent particulièrement ceux qui négligent des facettes de leur travail.

Donc, plutôt que de demeurer en retrait et d'attendre les événements pour réagir, alors qu'il est parfois trop tard, les travailleurs et travailleuses des centres correctionnels se doivent d'être vigilants et à l'affût des problèmes qui risquent d'émerger à tout moment. Une approche dynamique et pro-active peut certes paraître plus envahissante pour les sujets incarcérés, mais elle n'empêche pas pour autant la création de rapports sincères et fructueux, tout en imposant une certaine forme de respect et ce, sans délaisser les impératifs de sécurité.

D'autres pièges guettent les fonctionnaires dans leurs contacts avec les délinquants et se manifestent dans la façon dont chacun s'interpelle ainsi que par le langage et les gestes utilisés. Le fait d'interpeller une personne par son prénom plutôt que son patronyme peut souvent être interprété comme un signe de familiarité ou un désir de rapprochement et de camaraderie. Il faut toutefois prendre garde de généraliser et de conclure rapidement à une relation trop intime entre deux parties car, pour plusieurs personnes, il est tout à fait usuel de mentionner le prénom de la plupart des gens qu'ils côtoient. Pour d'autres, dont l'éducation ou les origines culturelles sont différentes, l'utilisation du tutoiement ou du prénom dans les rapports avec autrui est plutôt limité aux proches.

Dans ses échanges avec la population carcérale, le personnel correctionnel doit donc être attentif à la manière dont chacun s'interpelle et il doit s'assurer qu'aucun ne confonde un trait d'éducation et une ouverture ou une démonstration de familiarité. Le fait qu'un individu agisse uniformément ou sélectivement avec son entourage s'avère généralement révélateur de sa manière d'être. Je m'empresse maintenant de préciser que dans un contexte de relation d'aide ou dans un cadre thérapeutique, il peut s'avérer tout à fait approprié ou même facilitant d'utiliser les prénoms. Dans cette perspective, l'approche est toutefois la même avec toute la clientèle et chacun connaît les limites et la nature des contacts qui y sont maintenus.

D'une manière moins équivoque, les gens témoignent également leur familiarité par des gestes ou des signes spécifiques. À titre d'exemple, soulignons cette poignée de main fraternelle où les deux parties, plutôt que de se serrer la main selon la méthode conventionnelle, se tiennent plutôt comme on s'y prend lorsqu'on tire au poignet avec un adversaire. Cette poignée de main particulière et amicale témoigne d'un certain rapprochement ou d'une complicité entre les deux individus. Parallèlement, en donnant leur poignée de main en serrant la main droite, puis en plaçant leur main gauche par dessus, ou bien en se servant de leur main gauche pour saisir l'avant bras ou l'épaule de l'autre, les gens démontrent beaucoup de sollicitude et d'attention. Une telle prévenance à l'égard d'autrui peut facilement être interprétée à tort ou à raison comme une marque d'amitié particulière.

Dans un même ordre d'idées, nous pouvons également mentionner ceux qui s'échangent des signes de reconnaissance dont ils sont les seuls à pouvoir décoder la signification exacte. Normalement, une telle situation est caractéristique d'une fraternité d'individus regroupés dans un cercle fermé.

Il y a aussi ceux qui émettent des commentaires, répliques et boutades, qui ne sauraient s'adresser qu'aux personnes avec qui ils ont des liens étroits.

Or, on entend occasionnellement des individus qui se permettent une forme d'humour grossier et très personnalisé avec des personnes qui, pourtant, ne font pas partie de leur cercle d'intimes.

Chacune des situations que nous venons de décrire illustre la façon dont certains fonctionnaires développent consciemment ou inconsciemment des liens de familiarité avec ceux qui sont sous leur garde. Il est donc important que chacun s'interroge sur sa façon d'intervenir avec les délinquants puisque, tout en ayant de bonnes intentions et en voulant demeurer strict, il peut arriver que les habitudes de vie ou simplement les techniques d'approche laissent place à une fausse interprétation, et amènent les détenus à croire que des employés délaissent leur rôle d'autorité au profit d'un lien plus amical.

L'inverse est tout aussi vrai. Ainsi, différents éléments de la clientèle carcérale abordent régulièrement les fonctionnaires en démontrant une familiarité importune. Bien que cette attitude puisse être naturelle et inconsciente pour plusieurs, il en est tout autrement avec certains éléments manipulateurs qui tentent ainsi de créer un rapprochement dont la sincérité peut facilement être mise en doute. Il est donc essentiel de vérifier le fond de la pensée d'un détenu qui se montre trop hardi dans ses rapports avec les figures d'autorité que représentent les employés correctionnels. Le fait de ne pas réagir ou encore de prendre pour acquis qu'il s'agit d'un comportement spontané et usuel risque d'être perçu comme une acceptation ou une ouverture à l'établissement de liens privilégiés. De plus, en feignant d'ignorer et en passant outre l'attitude ou les propos trop libres et entreprenants d'un détenu, le personnel des centres de détention s'expose à des répétitions de plus en plus audacieuses et embarrassantes, si bien que ces employés auront énormément de difficultés à renverser ce courant qui les entraîne. Une mise au point claire, franche et directe sera déterminante sur les agissements et le discours futurs du détenu. Malgré leur rôle en relation d'aide, les intervenants doivent donc maintenir une certaine distance ou une marge de respect avec les délinquants.

La manipulation est parfois si habile que des fonctionnaires deviennent, en quelque sorte, dépendants des détenus. Ainsi, on a vu des situations où des délinquants ont réussi à développer une relation privilégiée avec des employés correctionnels et au cours de laquelle ils ont confié leur estime pour ceux-ci, allant jusqu'à mentionner que, si un jour survenaient des événements fâcheux , mettant en péril la sécurité du personnel, ils veilleraient à leur protection, car ils ne méritent pas le mauvais parti que certains pourraient leur réserver. Or, un tel engagement en incitera plus d'un à agir de façon à ne pas compromettre ce soutien qui lui est offert.

Le personnel correctionnel est généralement encouragé à développer une relation d'aide avec les détenus, dans un climat de confiance. Lorsqu'ils réussissent tant bien que mal à établir ce climat de confiance, certains ont peine par la suite à assumer leur rôle d'autorité en étant directif et en donnant des ordres au besoin. Pourtant, les détenus connaissent les devoirs et obligations du personnel et s'attendent à des réponses spécifiques. Le même principe s'applique avec les parents qui éduquent leurs enfants. Le fait d'aimer et de récompenser n'empêche pas de rétablir la discipline au besoin et les enfants apprécient cet encadrement.

Les tâches de contrôle et de socialisation constituent donc une dualité avec laquelle il n'est pas toujours facile de composer pour les intervenants en milieu correctionnel. Lorsqu'une situation paraît trop lourde ou trop complexe à assumer pour un seul individu, celui-ci ne doit pas hésiter à demander l'aide d'une tierce personne. L'intervention ou les conseils d'un confrère ou d'une consoeur de travail peuvent s'avérer bénéfiques lorsqu'un employé juge qu'il perd peu à peu la maîtrise des événements. Trop souvent, des fonctionnaires tentent de résoudre eux-mêmes des problèmes qui exigent normalement l'intervention d'une force de dissuasion émanant d'un autre niveau. Pour bien illustrer cette situation, citons l'exemple d'un cas où un professeur ou un instructeur est aux prises avec un détenu. Ce dernier refuse d'obtempérer aux ordres qui lui sont transmis, et invective le fonctionnaire qui est à la source de son mécontentement. Après un certain temps et dépendamment de la gravité de la situation, si le fonctionnaire n'a pas réussi à apaiser le détenu ou à établir les bases d'une solution, il devrait normalement appeler un supérieur qui viendra trancher le litige ou encore une équipe d'intervenants qui forcera le rétif à évacuer les lieux ou qui l'isoleront, au besoin. Or, trop souvent, des fonctionnaires craignant d'envenimer davantage le problème ou voulant éviter la dégradation de leur relation avec le détenu ne feront pas appel à une autre ressource qui pourrait les seconder. Seuls, ils préfèrent ainsi tenter de résoudre les difficultés auxquelles ils sont confrontés ou encore ils croient que le temps finira par régler la question.

Une action inappropriée, inconsistante ou trop timide engendrera, en bout de ligne, les mêmes résultats qu'une absence d'intervention.

Des fonctionnaires mis à l'épreuve

Nous avons mentionné au chapitre précédent que les individus qui sont soumis bon gré mal gré à l'autorité mettent généralement à l'épreuve ceux qui sont responsables de les contrôler. Ce phénomène s'observe tant chez les enfants avec leurs parents que chez les élèves avec leurs professeurs, les travailleurs avec leurs patrons et inévitablement, les personnes incarcérées avec leurs geôliers. Les actions, paroles ou absences d'intervention des individus qui représentent l'autorité sont épiées et analysées afin de repérer leurs faiblesses et leurs limites. Les agents correctionnels qui correspondent à cette typologie de la familiarité que nous avons tracé dans les pages précédentes n'échappent pas à cette pratique et ce, même s'ils tentent de véhiculer une image plus chaleureuse et amicale, tout en reléguant en arrière-plan les fonctions d'autorité et de discipline inhérentes à leur travail.

Pour mieux refléter cette réalité, nous reproduirons dans les pages qui suivent l'adaptation d'un texte retrouvé dans une cellule et rédigé par un détenu. Il s'agirait d'une histoire vécue où deux détenus, que nous identifierons par les surnoms Bill et Max, tentent de mettre à l'épreuve leurs gardiens, que nous nommerons dans ce cas-ci M. Latour et M.Dutil, afin de vérifier leurs réactions dans le cadre d'un projet d'évasion.

Les deux détenus ont été arrêtés pour des délits de violence et attendent la fin de leur procès pour savoir s'ils seront reconnus coupables. Si tel est le cas, ils risquent de lourdes sentences. Bill est un type fortement impliqué dans des groupes criminalisés, et bien qu'il ne soit à l'ombre que depuis cinq mois, il est déjà identifié comme un des plus dangereux détenus du centre de détention. Âgé de 31 ans, il compte à son actif plusieurs délits de violence et chacun sait qu'il n'hésite pas à prendre les moyens nécessaires lorsqu'il veut arriver à ses fins. Pour sa part, Max compte un antécédent d'évasion ainsi que quelques vols à main armée. Plus effacé et discret par rapport à son comparse, il s'avère moins connu du personnel, mais son potentiel de dangerosité n'en est pas moins présent.

Les gardiens Latour et Dutil ont à peine vingt-cinq ans et n'ont que quelques années d'expérience en milieu carcéral. Ils travaillent régulièrement ensemble et se comprennent bien. En accomplissant leurs tâches sans excès de zèle, ils aiment bien folâtrer à l'occasion ce qui, selon eux, contribue à détendre l'atmosphère qu'ils considèrent parfois trop tendue. Ils sont perçus par les détenus comme étant des individus qui ont pour philosophie de « vivre et laisser vivre ». Ils ne cherchent pas à contrarier les détenus quand tout va bien et, à cet effet, ils assouplissent les règlements et vérifications d'usage. Ainsi, ils cherchent à être différents des autres gardiens en étant plus permissifs et en apportant, à l'occasion, des journaux qu'ils remettent aux détenus lorsqu'ils en ont terminé. Cette attitude a permis de développer une certaine camaraderie et une complicité tacite.

Il y a quelque temps, Max a profité d'une conversation banale et courante pour dire au gardien Dutil :

« Aimerais-tu prendre une période de vacances d'un an sans interruption de salaire? »

Une telle idée est loin de déplaire à la majorité des travailleurs et aussitôt, M. Dutil répondit par l'affirmative.

Max répliqua alors d'un ton plus ou moins sérieux :

« Accepte de devenir mon otage et guide-moi jusqu'à la sortie. Tu pourras alors déclarer un grave traumatisme qui te procurera un repos d'une douzaine de mois.

— Voyons, es-tu sérieux? Tu sais bien que ce genre de projet ne peut réussir. De toute façon, je ne veux rien savoir d'une telle aventure.

— Ne dis pas cela, pense plus longtemps, car tu n'as rien à perdre.»

Aussitôt, Max quitte son interlocuteur et laisse celui-ci pensif. M. Dutil ne sait pas trop si Max a véritablement un projet d'évasion. Quoiqu'il en soit, il se promet d'être attentif à tout indice futur et, pour l'instant, il tait le contenu de cette conversation.

Pour les détenus, le processus est enclenché favorablement et ils estiment avoir déjà marqué un point. Le compte est de 1 à 0.

Quelques jours plus tard, le gardien Dutil travaille seul à l'intérieur d'un contrôle. En fait, il s'agit d'une guérite vitrée à l'intérieur de laquelle le fonctionnaire exerce une surveillance des rangées cellulaires. Le deuxième gardien, M. Latour, est parti prendre son repas.

Profitant de l'isolement de M. Dutil, Max et Bill se présentent au contrôle et ce dernier demande d'un ton familier :

« Tu ne nous as pas apporté de journaux? »

Sur le même ton M. Dutil répond :

« Je n'ai pas d'argent, donnez m'en de temps en temps. »

Les deux détenus se tournent l'un vers l'autre et aussitôt, ils se comprennent du regard. Bill se dirige d'un pas énergique vers sa cellule et revient quelques instants plus tard avec un billet de 5 $ qu'il exhibe à la sauvette devant le gardien tout en lui mentionnant :

« Tiens, prends cela et apporte-nous les journaux *Allo Police* et *Photo Police* ainsi qu'un stylo et garde le *change*. »

M. Dutil est stupéfait de constater que Bill a de l'argent en sa possession, ce qui est pourtant interdit. Mal à l'aise, il refuse l'offre qui lui est faite. De l'intérieur de sa guérite, il ne peut physiquement intervenir pour saisir cette contrebande. Il décide donc de fermer les yeux sur ce faible montant d'argent plutôt que d'importuner Bill et risquer de compromettre le bon contact qu'il a développé. Aucune mesure disciplinaire ou tentative pour récupérer l'argent n'est entreprise.

Un autre point est marqué, le compte est de 2 à 0.

Le lendemain à la même heure, le gardien Dutil est encore seul dans son contrôle lorsqu'il voit Bill défiler devant lui avec une nouvelle paire de bermudas multicolores. D'un ton blagueur il dit :

« Eh ! Bill, tu as dépensé ton 5 $. »

D'un air sérieux, le détenu se rapproche du contrôle tout en plongeant la main dans la poche de son short aux couleurs criardes. Il en ressort presque aussitôt un petit sac en nylon qui semble contenir des pilules et l'exhibe rapidement devant M. Dutil en affirmant :

« Non, j'ai payé mes bermudas avec cela. »

L'étonnement est visible dans les yeux du gardien. Il ne comprend pas pourquoi son interlocuteur se compromet en montrant des articles interdits. Toujours limité dans sa capacité d'intervention M. Dutil se promet d'agir lorsqu'il en aura la possibilité.

Pour l'instant, les détenus progressent dans leur plan. Le compte est maintenant de 3 à 0.

Le lendemain, toujours vers la même heure, M. Latour est au téléphone tandis que M. Dutil est seul dans la rangée et s'affaire à fouiller la blague à tabac d'un détenu. Max passe tout près et demande au gardien ce qu'il cherche.

« Ça sent le haschisch dans la rangée. »

Max met alors la main sur sa poche de chemise, en révélant :

« Tu cherches au mauvais endroit, le haschisch est ici. »

M. Dutil le défie alors de lui montrer cette précieuse contrebande. Aussitôt, Max retire de sa poche une petite substance brunâtre qu'il passe rapidement sous les yeux du gardien ahuri avant de disparaître parmi un groupe de détenus réunis à quelques pas de là.

Plus tard en soirée, à l'heure du retour en cellule, M. Dutil est mal à l'aise de n'avoir pu intervenir et il en profite pour venir s'adresser aux deux détenus qui, de toute évidence, semblent de plus en plus impliqués dans des activités illicites.

« Écoutez les gars, je vous ai laissé des chances jusqu'à maintenant, mais ce soir, c'était la dernière fois. Vous feriez mieux de demeurer loin de toute forme de contrebande. »

Le gardien Dutil se garda de toute autre forme d'intervention et ne rédigea aucun rapport sur ces incidents. Son avertissement témoigne d'une volonté qui n'a jamais été soutenue par des actions concrètes et les détenus se doutent bien que ces belles paroles sont davantage destinées à sauvegarder l'image d'autorité de leur geôlier. De toute façon, leur stratégie évolue merveilleusement bien. Le compte est maintenant de 4 à 0.

Bill et Max constatent que M. Dutil présente des signes de nervosité à leur égard. Ils décident alors d'augmenter la pression sur celui-ci. Exploitant le fait qu'il soit encore seul, comme à tous les soirs, pendant que son confrère prend sa pause-repas, les deux détenus vont rendre visite à M. Dutil qui est de garde dans son contrôle. Bill prend alors la parole :

« Si nous te prenions en otage, quelles seraient nos chances de sortir d'ici?

— C'est impossible les gars, n'y pensez pas, personne ne pourrait sortir vivant.

— On est bien équipés tu sais, nous ne sommes pas des amateurs.»

Du même coup Bill se tourne vers son comparse et lui dit :

« Va chercher le pistolet et montre-lui. »

Max se rend alors à sa cellule et revient quelques instants plus tard, tout en camouflant quelque chose sous sa chemise. Rendu à proximité de la guérite où se trouve M. Dutil, Max se place derrière Bill qui est appuyé sur la vitre du contrôle, et fait apparaître sous le bras de ce dernier, ce qui semble être le canon d'une arme à feu de gros calibre. La vue de cet objet inquiète au plus haut point le fonctionnaire qui cache mal sa crainte, tout en reculant d'un pas. Sans plus tarder, les deux lascars repartent vers leur cellule laissant derrière eux leur gardien angoissé. Celui-ci n'a vu qu'une partie de l'arme. Il ignore s'il s'agit d'un vrai pistolet ou d'une arme artisanale fonctionnelle que certains détenus rusés parviennent à fabriquer ou peut- être encore une simple imitation dans le but de le berner ou de vérifier sa réaction. Néanmoins, il sait bien qu'il ne peut négliger le potentiel criminel et le risque que ces deux individus passent à l'acte.

Bill et Max reviennent voir M. Dutil quelques heures plus tard. Bill prend alors la parole et dit :

« Demain, je retourne à la cour et si je suis trouvé coupable, Max et moi, on passe à l'action. Toi et Latour, vous allez nous aider. »

Max ajoute alors, tout en pointant le gardien Dutil du doigt et en souriant :

« Surtout, ne nous faites pas le coup de tomber malade. On vous fera pas de mal ou juste un petit peu pour faire peur aux autres. »

M. Dutil est très préoccupé par ces propos. Il ne sait pas encore s'il doit en parler aux autorités. Il considère qu'il n'a pas de réels indices pour dénoncer le projet d'évasion à l'exception des paroles des détenus, mais en même temps, il trouve invraisemblable qu'on lui fasse pareille confidence. Il décide donc d'attendre afin d'être sûr de son coup avant d'en parler aux autorités. Il ne veut pas être perçu à tort comme un paranoïaque.

Pour les deux détenus, une autre étape vient d'être franchie. Le compte est de 5 à 0.

Le lendemain, Bill revient du Palais de justice avec un verdict de culpabilité. En début de soirée, il croise M. Dutil qui est de garde dans le passage conduisant à la cour de marche. Il lui souffle à l'oreille, sur un ton glacial :

« Es-tu prêt à nous aider? »

La réponse se fit rapide et directe :

« Non, il n'en est pas question, je ne vous aiderai pas. »

Le fonctionnaire croit qu'en refusant ainsi de répondre favorablement aux détenus, il réussit à faire obstacle à leur projet, s'il existe réellement. Toutefois, il est nerveux et inquiet. Il partage donc toute cette histoire avec M. Latour, son partenaire de travail.

Pour l'instant, Bill et Max ne sont pas importunés et leur projet progresse toujours. C'est maintenant 6 à 0.

En revenant de la cour de marche, Bill remarque MM. Dutil et Latour qui fouillent des cellules. Il en déduit que les recherches visent à retrouver de l'argent, des pilules, du haschisch et une arme à feu. La fouille s'avère infructueuse. Bill va alors à la rencontre de M. Latour et lui demande :

« Dutil t'a-tu raconté queqchose?

— Oui, nous faisons équipe ensemble depuis longtemps et il n'y a pas de secret entre nous.

— C'est donc pour cela que vous avez fouillé nos cellules, vous avez l'intention de nous faire faux bond et de nous dénoncer, vous êtes des visages à deux faces.

— On pense à notre sécurité, c'est tout; on ne vous en veut pas personnellement. Si vous agissez correctement, nous faisons de même, mais comprenez aussi que nous devons faire notre travail. »

Les deux gardiens sont de plus en plus songeurs. Leur intervention s'est limitée à ces quelques paroles. Ils n'assument donc pas leur rôle d'autorité en prenant des actions fermes, en confrontant ou en faisant subir un interrogatoire serré à ces deux détenus qui présentent un risque indu. Le compte est maintenant de 7 à 0.

Un peu plus tard M. Dutil appelle Max dans un coin du passage, à l'abri des oreilles indiscrètes.

« Soyez raisonnables, ne tentez pas ce coup d'éclat. C'est suicidaire, croyez-moi. D'autres ont déjà essayé et à chaque fois, ce fut un échec.

— La technologie moderne n'est plus ce qu'elle était. Des inventions formidables peuvent maintenant nous rendre service. Si vous ne changez pas d'idée, vous verrez bien ce qui va se produire à 23 heures ce soir. »

M. Dutil est terrifié et désemparé. Il cherche un moyen de désamorcer ce problème au plus vite. En même temps, il se sent un peu coupable de ne pas avoir dénoncé cette situation à ses supérieurs. Maintenant, il ne sait plus vraiment comment s'expliquer sans s'attirer un certain blâme pour son inaction. Il croit encore qu'en redoublant de vigilance et en réagissant adéquatement, il réussira à contrecarrer le plan des deux malfrats. Ces derniers sont de plus en plus confiants. Il ne cessent de marquer des points. C'est maintenant 8 à 0.

Environ une heure plus tard, Max revient aux abords du poste de contrôle et appuie le télé-horaire sur la vitre de façon à permettre au gardien Dutil de lire le titre d'un film qui est présenté à la télé. Il s'agit d'un épisode d'une série policière intitulée Tout n'est qu'illusion. Le fonctionnaire cherche à faire le lien avec ce qu'il vit, mais sans succès. Au même moment Bill arrive aux côtés de son compagnon et reproche vivement à M. Dutil de s'être confié à son collègue.

Celui-ci rétorque :

« M. Latour est un compagnon de travail fiable et je ne lui cache rien. Par contre, je vous préviens, vous feriez mieux d'oublier votre idée, vous n'irez pas loin et les conséquences seront terribles pour vous. »

« Nous verrons bien », répondit Bill tout en souriant.

Toujours pas de problème dans le scénario des détenus. Le compte est de 9 à 0.

Il est maintenant 22 h 30. M. Dutil quitte son contrôle et laisse le gardien Latour seul. Bill et Max se promènent sans cesse d'un bout à l'autre de la rangée. Un troisième détenu a été demandé pour servir de vigile et avertir si un groupe de gardiens arrivait tout à coup en renfort.

Bill et Max entrent dans leur cellule pour se préparer et en ressortent à 22 h 55, au moment où on se prépare à verrouiller toutes les portes. M. Latour, qui aperçoit les deux comparses tout habillés, leur demande candidement :

« Où allez-vous?

— Appelle Dutil, on veut lui parler. »

Inquiet, le gardien Latour obéit. Dans les minutes qui suivent, le fonctionnaire Dutil arrive sur les lieux et constate aussi que les détenus sont vêtus comme s'ils allaient dehors. Il se penche alors la tête vers le guichet à bascule qui sert à passer différents articles de part et d'autre du contrôle et Bill saisit fermement la partie mobile qui est ouverte devant lui.

« Alors, est-ce que tu nous aides? On veut votre linge ou on fait sauter la guérite. »

Les deux gardiens se regardent décontenancés et lèvent les bras en signe d'impuissance. À ce moment Bill crie bien fort :

« Vous ne voulez pas nous aider, vas-y Max. »

Celui-ci plonge la main dans sa poche et en retire un contenant métallique enveloppé d'une feuille d'aluminium qu'il laisse tomber violemment dans le guichet. Bill s'empresse de refermer le couvercle à bascule et déguerpit à la course alors que Max se couche au sol, tout en se protégeant la tête. Les deux gardiens voyant l'objet métallique s'écraser sur le sol de leur guérite, sursautent et quittent précipitamment leur poste.

Dans les secondes qui suivent, Bill et Max éclatent de rire en savourant le résultat de leur supercherie. Constatant le ridicule de la situation, les deux gardiens reviennent dans leur contrôle en maugréant, mais en ressentant toutefois un certain soulagement.

Le compte final est de 10 à 0. Les deux détenus ont atteint leur objectif. Ils ont mis leurs gardiens à l'épreuve et se sont rendu compte qu'ils pouvaient réussir à les manipuler, car la grenade, autant que le 5 $, les pilules, le haschisch et le pistolet étaient faux. On a créé une illusion tant par les faux objets que par le conditionnement de l'imagination des gardiens.

MM. Dutil et Latour ont commis de nombreuses erreurs à chacune des étapes de cette histoire. Leur approche familière avec les détenus et leur résistance à s'imposer comme inquisiteur ont fait d'eux des proies faciles à exploiter. Graduellement, ils se sont fait piéger à un tel point que, plus la situation s'envenimait, et plus il leur était difficile de s'imposer et de mettre fin à ces événements sans s'attirer une certaine réprobation de leurs supérieurs. La familiarité s'est peu à peu transformée en peur, ce qui s'avère aussi un élément de vulnérabilité en milieu carcéral. Nous aborderons plus en détail ce thème dans un chapitre subséquent.

Nous n'avons jamais pu avoir la certitude que cette histoire était réellement basée sur des faits vécus. Quoi qu'il en soit, ce scénario en dix points a été élaboré par un détenu, ce qui démontre bien, à notre avis, que les individus incarcérés observent et analysent le personnel correctionnel pour y repérer des proies faciles. Ils développent par la suite des stratégies visant à mettre à l'épreuve ce même personnel, dans le but de connaître les réactions et le seuil de tolérance de chacun.

Il est donc essentiel que les employés des établissements correctionnels soient sensibles à cette réalité et qu'ils réagissent avec diligence et fermeté lorsque la situation l'exige. Concrètement, cela signifie qu'il faut établir des limites de ce qui est acceptable ainsi que des lignes de conduite qui soient claires, consistantes, connues de tous et appliquées de façon homogène. De plus, en tant que figure d'autorité dans un établissement carcéral, les fonctionnaires ne doivent pas hésiter à interpeller, questionner, confronter et fouiller les détenus au besoin. Bien que ceux-ci puissent parfois s'offusquer de ces interventions, celles-ci font partie de la routine institutionnelle, et celui ou celle qui accomplira avec discernement et professionnalisme l'ensemble des tâches inhérentes à son poste, n'en sera que plus respecté, tant par ses supérieurs, ses collègues ou subalternes que par les détenus en général.

LA PASSION

Une définition

Le dictionnaire Larousse[2] définit la passion comme étant une émotion puissante et continue qui domine la raison et qui oriente toute la conduite. Donc, bien au-delà de la familiarité que nous avons présentée au chapitre précédent, celui ou celle qui est empreint de passion a déjà succombé au piège des sentiments.

Tout le personnel des établissements carcéraux, et particulièrement ceux qui ont des contacts directs avec les détenus, ont pour mandat d'entretenir une relation professionnelle et salutaire avec les personnes incarcérées. À cet égard, on s'attend à ce que chacun intervienne d'une manière rationnelle tout en contrôlant ses propres impulsions. Toutefois, dépendamment des individus en cause ou du caractère particulier de certaines situations, le personnel correctionnel n'est pas toujours insensible à l'appel de ses émotions. Au fil des rapports quotidiens entre les surveillants et les surveillés, émergent parfois des sentiments hostiles qui se manifestent par de la haine, de la rage, de la brutalité ou même de la violence. À l'inverse, des émotions bienveillantes peuvent se traduire par des témoignages de sympathie, d'affection, de tendresse et d'amour. Peu importe la nature des sentiments exprimés, ceux-ci compromettent indéniablement le professionnalisme des relations et vont à l'encontre des règles de déontologie.

Des sentiments bienveillants

Rôle du personnel de correction

Voyons d'abord ces situations où les intervenants démontrent une trop grande sensibilité à l'égard de certains éléments de la clientèle carcérale. D'entrée de jeu, nous devons préciser que le concept d'administration pénitentiaire qui est en application au Canada favorise l'établissement de rapports dynamiques entre les agents de correction et les détenus. On souhaite ainsi faciliter la communication et les échanges entre les deux groupes, ce qui constitue certainement un préalable indispensable au développement d'une relation d'aide. On recherche donc des employés généralistes, capables de réaliser autant des tâches de sécurité statiques que des interactions positives avec les délinquants. Bien que ces personnes reçoivent habituellement une formation générale sur différentes approches thérapeutiques, il n'en demeure pas moins que plusieurs d'entre elles ne sont pas des thérapeutes reconnus au sens de la profession.

À un autre niveau, on retrouve des fonctionnaires qui ont la respon-sabilité de gérer le dossier et les interventions professionnelles. Parmi

[2]*Petit Larousse en Couleurs,* Librairie Larousse 1986.

ceux-ci, on retrouve bon nombre d'agents de correction qui, grâce à leur persévérance, se sont perfectionnés au sein de l'organisation et ont réussi à se hisser à des postes d'intervenants, au même titre que des diplômés universitaires en sciences humaines et sociales. Le rôle principal de ces intervenants est d'encadrer le délinquant dans son cheminement personnel, en évaluant ses besoins, en lui fixant des objectifs, et en prodiguant support et conseils selon les cas. De plus, ce personnel doit produire de nombreuses évaluations à l'attention des autorités décisionnelles qui statueront sur l'orientation et les mesures d'encadrement des détenus.

Donc, qu'il s'agisse d'un agent de correction devenu intervenant de première ligne ou d'un de ces praticiens qui consacre l'essentiel de son temps à des activités professionnelles destinées à la resocialisation et à l'évaluation de la clientèle carcérale, il faut, dans les deux cas, établir un contact étroit au cours duquel chacun recueille les pensées et sentiments profonds de ces individus qu'il doit évaluer et encadrer dans sa réhabilitation. Lors des entretiens avec leurs interlocuteurs, les délinquants partagent à l'occasion des confidences personnelles et font des révélations qui étaient demeurées secrètes jusqu'alors. L'intervenant devient donc l'auditeur attentif du vécu émotif ainsi que des problèmes intimes et parfois sexuels que veut bien lui confier le sujet sous sa responsabilité. De plus, afin de faciliter le climat de confiance et la relation d'aide, ces rencontres se déroulent généralement dans un lieu privé où le bénéficiaire et le fonctionnaire sont seuls.

Certains individus particulièrement perturbés ou présentant des problèmes de personnalité peuvent s'avérer fort exigeants pour leur interlocuteur sur le plan professionnel. De plus, ces derniers sont susceptibles de vivre toute une gamme d'émotions lorsqu'ils rencontrent ces éléments difficiles de la clientèle carcérale. Les intervenants ont beau être expérimentés ou avoir été formés pour ce travail et être pleins de bonne volonté, il n'en demeure pas moins qu'ils ont leurs limites et que, face à certains cas, ils peuvent se sentir désarmés ou totalement inefficaces. Dans cette optique, il est essentiel que le personnel de correction puisse bénéficier du support et de l'encadrement professionnels de praticiens chevronnés. Donc, qu'il s'agisse de collègues de travail ou de superviseurs, chacun doit entretenir un esprit d'équipe afin de venir seconder ceux qui vivent des épisodes difficiles ou qui ne trouvent pas la meilleure façon d'intervenir auprès de certains délinquants.

S'il est un aspect qui différencie la relation d'aide dans la société en milieu libre et la relation d'aide dans le monde carcéral, c'est bien la notion d'autorité. L'intervenant qui oeuvre avec des personnes incarcérées n'établit pas uniquement une relation professionnelle avec un client. Son travail exige qu'il formule des recommandations quant à l'octroi ou non, de mesures d'encadrements ou de différents types de remise en liberté. Il doit donc assumer un rôle d'autorité avec cette clientèle qui, rappelons-le, n'est pas nécessairement volontaire. L'intervenant et le bénéficiaire n'ont pas vraiment le choix d'être ensemble, ils sont assignés l'un à l'autre. De plus, les intervenants désignés d'office sont généralement perçus par leur client comme étant ceux ou celles qui peuvent faciliter ou recommander l'octroi de leur libération. Dès lors, on comprend à quel point la relation professionnelle et thérapeutique risque d'être faussée, voire même compromise.

Le contexte thérapeutique

Il n'est donc pas étonnant que la plupart des détenus se racontent en minimisant leurs comportements délinquants, en justifiant démesurément leurs passages à l'acte et en cherchant continuellement à rejeter le blâme sur autrui ou la société en général. On n'a qu'à penser aux fraudeurs qui ont du talent dans l'art de la supercherie et on réalise facilement que plusieurs individus sont de beaux parleurs qui réussissent bien à transmettre leur vécu en modifiant certains faits à leur avantage. D'ailleurs, ne s'agit-il pas d'un réflexe commun à plusieurs d'entre nous, lorsque nous faisons face à des difficultés ou à un échec? Rares sont ceux qui confessent d'emblée leur part de responsabilité. Comment l'étudiant explique-t-il son insuccès scolaire? Comment chaque membre d'un couple récemment séparé interprète-t-il la débâcle de sa relation?

Dans chacun de ces cas, on risque d'entendre des excuses rejetant la majeure part de responsabilité sur autrui. On invoque l'incompréhension, l'intransigeance, le conflit de personnalité, la frustration, la rancune et tant d'autres motifs qui permettent de se laver de l'odieux d'un insuccès. Lorsqu'il est impossible de jeter le blâme sur quelqu'un d'autre, le sujet se décharge de sa responsabilité ou minimise celle-ci en alléguant des problèmes personnels ou de santé, du stress, de la fatigue, une surcharge de travail, un environnement chaotique, etc. Donc, peu importe la situation défavorable ou gênante dans laquelle se retrouve un individu, celui-ci tentera généralement de ne pas perdre la face, de sorte qu'il interprétera la réalité et racontera à sa façon les faits qui l'ont conduit à son état actuel.

Donc, les délinquants qui discutent avec les fonctionnaires responsables de leur dossier tiennent également des propos qui visent à préserver leur image. Les individus les plus institutionnalisés sont manifestement plus expérimentés et plus habiles pour livrer une version déculpabilisante et attendrissante de leur passé criminel. Au fil des ans et des entrevues, ils ont su développer des clichés dont ils tirent bénéfice et qui, parfois, émeuvent leur interlocuteur. Lorsque c'est le cas, l'intervenant qui doit normalement écouter, analyser et intervenir rationnellement et avec empathie, laisse peu à peu ses sentiments dominer sa raison. L'empathie fait place à la sympathie. L'intervenant est de moins en moins guidé par son jugement, ses principes, sa tête, bref, par ses connaissances du comportement humain, mais plutôt par sa sensibilité, ses émotions, son coeur.

Certains cas sont plus pathétiques que d'autres et, finalement, on constate que le contexte de relation d'aide est empreint de pitié. Il n'est pas rare de constater que des agents correctionnels responsables du dossier de quelques détenus pitoyables démontrent plus d'ardeur et de volonté que les détenus eux-mêmes pour solutionner leurs problèmes. Il faut garder à l'esprit que donner davantage et consacrer plus d'énergie à certains individus dans un cadre thérapeutique ne signifie pas nécessairement que l'on agit dans le meilleur intérêt du bénéficiaire. Il faut prendre garde de ne pas créer de dépendance, ne pas s'immiscer dans les efforts du sujet pour se prendre en mains ou encore se faire exploiter bêtement. De nombreux sujets de la clientèle carcérale ont vécu ou vivent encore des carences affectives.

Il ne faut donc pas s'étonner si le délinquant cherche à utiliser l'intervenant dévoué pour combler ses besoins affectifs. Certains exigent beaucoup d'énergie puisqu'ils ne cessent de réclamer de l'attention et de l'aide pour régler leurs intarissables problèmes. Il faut donc éviter de jouer le rôle de « nourrice » qui surprotège un élément chétif, même si celui-ci s'accroche au soutien qui lui est accordé et même s'il profère des menaces ou s'adonne au chantage parce qu'il se sent délaissé ou trahi dans sa relation. Il est impératif d'imposer des limites dans les actions thérapeutiques et d'agir équitablement avec la juste mesure, tout en demeurant soi-même.

Outre les cas qui ébranlent la sensibilité des fonctionnaires bienveillants, il y a ces détenus sympathiques avec qui on éprouve du plaisir et de la satisfaction à communiquer. Les criminels incarcérés ne sont pas tous hargneux et méprisables. Il est intéressant de discuter avec un certain nombre d'entre eux qui ont une agréable personnalité. Au gré des conversations, l'employé passionné délaisse peu à peu son rôle professionnel pour établir une relation personnelle. La personne à ses côtés lui plaît, tant par ses valeurs, ses expériences de vie que par ses intérêts en général. Il se laisse donc progressivement subjuguer par les propos qu'il entend. Intervenant, il en viendra à confier des éléments personnels de sa vie, négligeant par le fait même son intimité et l'intégrité de sa relation. Au-delà de la familiarité et de la simple camaraderie que nous avons décrites au chapitre précédent, l'agent correctionnel, dans ce cas-ci, est impliqué émotivement et personnellement.

Le piège des sentiments

Dans les prisons et pénitenciers où la population carcérale est composée d'hommes, l'expérience tend à démontrer que les femmes sont principalement concernées par ce piège des sentiments bienveillants et même amoureux. Celui-ci se développe généralement alors que le détenu et l'employée correctionnelle s' expriment avec confiance sur leur vie intime tel que décrit précédemment, ce qui conséquemment entraîne un rapprochement et une certaine complicité entre les deux êtres. L'intérêt particulier à se confier et découvrir son interlocuteur traduit un désir réciproque. À chaque rencontre, on devient plus audacieux et on développe davantage la relation qui procure une satisfaction évidente.

Certains employés s'éprennent de cet être qui envahit maintenant leur vie et ils développent une liaison amicale ou amoureuse pouvant conduire jusqu'aux relations sexuelles. Il y a lieu de préciser que ce phénomène n'est pas exclusif aux employées féminines, car nous avons eu l'occasion à quelques reprises de constater que certains hommes ont également succombé à ce piège pour développer une relation homosexuelle avec des détenus. De plus, on se doute bien que dans les établissements de détention pour femmes, on peut aussi retrouver des employés masculins vulnérables qui se laissent dominer par une passion amoureuse. Rendu à ce stade, il est pratiquement impossible de faire confiance à l'objectivité de l'employé correctionnel, dans ses évaluations, recommandations et prises de décisions à l'égard de celui ou celle qui s'est immiscé dans sa vie.

Évidemment, pour que deux êtres se retrouvent en liaison intime, il faut une amorce ou, en d'autres termes, un signal et une ouverture allant d'une personne à l'autre. Dans différentes études publiées sur la relation thérapeutique entre le professionnel et son client, on attribue souvent l'initiative de la séduction au thérapeute qui profite de sa situation d'autorité pour enjôler la personne qui vient chercher de l'aide. Cette dernière s'en remet à un expert pour l'aider à résoudre des problèmes personnels et accorde généralement toute sa confiance au thérapeute sans se méfier des approches trompeuses auxquelles elle est confrontée, si bien qu'elle se retrouve tôt au tard engagée dans un relation non désirée.

Même si certaines de ces liaisons se sont perpétuées dans l'amour et le bonheur, il n'en demeure pas moins que la majorité d'entre elles sont vouées à l'échec en raison du contexte dans lequel la relation s'est développée ou du manque de sincérité et d'engagement affectif de l'une ou l'autre personne. Ces relations dominées par les avances répétées du thérapeute peuvent, dans une certaine mesure, être comparées à l'inceste où les malheureuses victimes sont soumises à une figure d'autorité en qui elles avaient confiance. Au terme de ces épreuves pénibles et désolantes, la victime subit parfois longtemps les séquelles psychologiques d'un amour maltraité et la trahison d'une personne qui incarnait la sollicitude et la sécurité.

En milieu carcéral, il est possible que des intervenants parviennent à séduire ou même à profiter d'un individu sous leurs responsabilités.

Toutefois, l'expérience semble démontrer que c'est plutôt le processus inverse qui se produit. Ainsi, des membres du personnel féminin, peu importe les tâches auxquelles elles sont affectées, sont abordées dans le cadre de leur travail quotidien par de nombreux détenus qui viennent discuter avec elles pour des motifs aussi variés que multiples. Contrairement aux propos tenus avec le personnel masculin, les délinquants enjôleurs profitent des périodes d'isolement des femmes sur leur poste de travail pour avoir des conversations tendancieuses où ils vérifient la réceptivité de celles-ci face aux avances, ainsi que l'acceptation tacite ou la disponibilité qui leur permettra d'exploiter davantage la hardiesse de leurs actions et paroles. Dans notre société, cette approche est comparable au stratagème qu'utilise tout soupirant pour courtiser celle qui lui plaît. Le séducteur cherche donc à plaire tout en guidant ses propos et agissements selon les réponses verbales et non verbales qu'il percevra chez son interlocutrice.

Dans le milieu fermé des centres de détention, les véritables soupirants ne sont toutefois pas légion. Si, pour un certain nombre d'individus incarcérés qui développent une relation particulière avec un membre du personnel, on peut croire qu'il s'agit d'un phénomène d'attraction naturelle qui répond à un besoin d'affection tout à fait normal chez les humains, pour d'autres, on doit conclure qu'ils sont des enjôleurs tentant d'exploiter la situation à leur avantage. Par un discours insidieux, les délinquants peuvent ainsi laisser croire à leurs bons sentiments, ce qui contribue parfois à développer une liaison amoureuse, mais cet amour est souvent à sens unique. Suite à la mise à jour de telles relations, on découvre lors des enquêtes subséquentes que le véritable intérêt du détenu était de duper le fonctionnaire dans le but d'obtenir des privilèges supplémentaires pour adoucir ou bien réduire sa période d'incarcération, ou encore pour obtenir des faveurs sexuelles ou même pour faire entrer de la contrebande dans l'établissement ou soutirer des « services » particuliers et illicites à l'extérieur.

De par la nature de leurs fonctions, les employés correctionnels ont tous un rôle d'autorité à assumer sur l'ensemble des individus incarcérés dans leur établissement. De ce fait, la relation entre les deux groupes n'est pas d'égal à égal. Or, si une fonctionnaire développe une dépendance affective envers un délinquant, elle se retrouvera inévitablement confrontée à plusieurs reprises entre des intérêts personnels et des intérêts professionnels qui ne sont pas nécessairement compatibles. En donnant préséance à son rôle de représentante de l'ordre, elle se fait mal émotivement et compromet sa relation amoureuse. À l'opposé, si elle se laisse guider par sa passion, elle manquera d'objectivité dans ses décisions professionnelles, tout en se rendant vulnérable à l'exploitation et au chantage.

Le code de déontologie du personnel oeuvrant en milieu carcéral interdit formellement les liaisons avec les détenus, ex-détenus ou membres de leur famille. Le non-respect de cette règle engendre normalement le congédiement, en raison de la rupture du lien de confiance entre l'employeur et l'employé et aussi à cause du conflit d'intérêts dans lequel s'est empêtré l'employé. Malgré les contestations légales déposées par le syndicat des travailleurs, des décisions arbitrales ont confirmé le bien-fondé de la position patronale.

Un monde de secrets

Dans un tel contexte, on comprendra que, dès la naissance d'une liaison intime entre un membre du personnel et un détenu, les deux protagonistes ont tout intérêt à garder le secret. Dans un cas, il y a risque de perdre son emploi et dans l'autre, il y a possibilité de représailles de la part des codétenus puisque la fameuse « loi du milieu » n'approuve pas les « bonnes relations » entre surveillants et surveillés. Des rapports trop étroits qui unissent un fonctionnaire et un individu incarcéré éveillent la suspicion de la population carcérale qui craint les mouchards. D'ailleurs, lorsqu'une connaissance ou une personne ayant un lien de parenté avec un employé correctionnel se retrouve dernière les barreaux, on tente généralement de l'acheminer dans un centre de détention différent afin d'éviter que l'un ou l'autre ne subisse de pressions indues.

Un délinquant qui n'est pas sincère dans sa relation peut toutefois trouver très valorisant d'exprimer à quel point il réussit à exploiter une employée. Cependant, s'il vit vraiment un lien affectif sincère avec un membre du personnel féminin, il devra, au contraire, être probablement très prudent pour ne pas attirer l'attention de ses compagnons incarcérés, puisque ceux-ci pourraient être tentés de lui faire un mauvais parti ou encore l'obliger à exploiter sa partenaire bien-aimée. Ainsi, on pourrait profiter de cette employée qui s'est compromise par rapport à son rôle professionnel, en l'invitant fortement à fermer les yeux sur certaines activités illicites des détenus, en l'incitant à faire des commissions, entrer de la drogue, etc. On pourrait aussi se servir du détenu amoureux pour distraire l'employée, le temps de commettre un acte répréhensible.

Le délinquant épris qui veut assurer sa survie parmi ses semblables remettra peut-être en question ses sentiments et acceptera de servir d'intermédiaire entre la fonctionnaire et son groupe de pairs. Évidemment, pour ne pas rompre sa relation privilégiée et ainsi risquer la réprobation des détenus, il devra agir hypocritement ce qui ajoute à la complexité de ses rapports avec l'employée. Dans son cas, il compte probablement sur le temps pour arranger les choses, espérant vivre un jour une liaison plus saine.

Donc, pour éviter tous ces problèmes, les deux amoureux ne souffleront mot de leur situation. Ils se rencontrent sous le couvert de contacts officiels comme pour tous les surveillants et surveillés. Toutefois, les rencontres « en public » sont de moins en moins prisées et on provoquera les occasions pour se voir plus fréquemment en privé, dans un bureau de consultation. Plus la relation évolue, plus on est exigeant et, par le fait même, c'est encore plus difficile de garder le secret, particulièrement dans un milieu restreint et fermé comme une prison ou un pénitencier. À un certain moment, il devient impossible de continuer à berner l'ensemble des détenus et des fonctionnaires. Quelqu'un, quelque part finit toujours par avoir des soupçons. De plus, lorsqu'on vit un amour, il s'agit d'un sentiment noble et heureux que l'on veut partager avec tous ses proches. À cet égard, il est aussi difficile de garder le secret sans en laisser échapper quelques bribes. Nous avons su, dans un cas passé, que le délinquant impliqué dans une telle liaison en était rendu à avoir des rapports sexuels avec sa partenaire, et afin de protéger son intimité, ainsi que prévenir toute irruption impromptue, il avait demandé à un confident de monter la garde près du local où il s'ébattait sexuellement.

Tôt ou tard, les administrateurs finiront par découvrir le pot aux roses. Si ce n'est par le biais d'un détenu informateur, ce seront peut-être des confrères de travail qui partageront leurs observations et leurs doutes. Le superviseur de l'employée pourra aussi remarquer un changement d'attitude et de comportement, une efficacité moindre au travail, un jugement altéré par des préoccupations nouvelles ainsi qu'un certain inconfort dans ses prises de décisions. Dans d'autres cas, la fonctionnaire troublée dans sa conscience et inconfortable dans sa situation, confrontée possiblement à des demandes excessives du détenu ou consciente de son incapacité à assumer pleinement et adéquatement son rôle professionnel, viendra peut-être confesser son désarroi. Dans ce dernier cas, l'honnêteté de l'employée et son initiative pour régler l'ambiguïté de sa situation pourrait possiblement lui permettre de conserver son emploi. Évidemment, elle devra faire un choix entre sa carrière professionnelle ou son amour interdit.

Toutes les situations dont nous avons eu connaissance au cours des dernières années ont pris fin de l'une ou l'autre de ces façons. Dans quelques cas, l'employée a quitté son travail pour légitimer sa relation amoureuse et venir visiter l'être aimé au parloir de l'institution, en attendant qu'il soit libéré définitivement.

Les enquêtes internes réalisées suite à ces situations ont souvent démontré que les employés passionnés qui ont succombé au piège des sentiments n'agissaient pas de mauvaise foi. Ils avouent ne pas avoir réalisé à quel point ils avaient pu se rendre vulnérables au chantage des détenus et, du même coup, compromettre la sécurité de leurs confrères et de l'établissement en général. L'évaluation de leur propre situation était bien incomplète.

Dans ces circonstances les victimes ne comprennent pas toujours pourquoi il faut questionner leur vie sentimentale. Elles ont également tendance à affirmer que, malgré leurs sentiments pour un délinquant en particulier, elles étaient toujours capables d'intervenir efficacement et avec discernement. De plus, elles ont peine à croire au manque de sincérité du détenu dans les rapports qu'elles ont vécus avec lui. Or, ces derniers reconnaissent pourtant aisément ne pas aimer celle qui a, malgré tout, compromis sa carrière à leur intention. S'agit-il d'une carapace ou d'un mécanisme de défense? Nous en doutons.

Des victimes choisies

Une telle vulnérabilité des employés correctionnels a de quoi étonner. Il peut sembler incompréhensible qu'une personne sensée puisse développer une relation intime et secrète avec un prisonnier qui ne retrouvera probablement pas sa liberté avant plusieurs années, ce qui nuit indubitablement au développement, en toute simplicité, de rapports francs et légitimes. Pourquoi choisir un chemin rempli d'embûches et risquer de perdre son gagne-pain? Les fonctionnaires sont-ils si faibles, influençables ou incapables de dire non lorsque la situation l'exige?

En fait, les travailleurs qui œuvrent jour après jour dans les centres de détention sont, bien malgré eux, des sujets d'observation continuelle pour la clientèle carcérale. Au fil du temps, les délinquants en viennent à mieux connaître leurs geôliers que les membres de leur propre famille. Que ce soit des traits de caractère, des habitudes personnelles, des problèmes individuels ou même des conflits internes, les détenus perçoivent aisément les faiblesses de chacun et, conséquemment, ils sélectionnent minutieusement leurs victimes potentielles.

Qui n'est pas confronté un jour ou l'autre à des tracas personnels qui le préoccupent grandement et qui, inconsciemment, agissent sur l'humeur, le comportement ou le raisonnement en général? Que ce soit des problèmes familiaux avec le conjoint ou avec les enfants, le deuil d'un être cher, une séparation douloureuse et combien d'autres encore, chacune de ces épreuves fait vivre des émotions intenses qui sont parfois difficiles à masquer ou à contrôler.

Pendant ces périodes plus ou moins longues de sensibilité aiguë où on remet tout en cause et où l'avenir paraît trouble, notre perception de la vie est généralement altérée et nous recherchons désespérément soulagement et réconfort. Le fait de côtoyer des criminels incarcérés pendant ces périodes sombres peut contribuer à attiser la haine et à provoquer le rejet. Dans d'autres cas toutefois, il peut en être tout autrement, particulièrement à l'égard d'un sujet avec qui un contact positif et sincère a été établi. Ainsi, une employée qui échange divers propos avec un individu qu'elle estime intéressant et aimable pourrait en venir à considérer le temps qu'elle consacre à ce cas comme un moment de répit dans sa vie trouble, où elle peut s'abandonner à une relation détendue et bienfaisante. Ses périodes d'entrevue avec ce cas méritoire à ses yeux se prolongeront et deviendront plus fréquentes. Face à celui qui lui confie ses malheurs et ses problèmes, elle pourra même éprouver de la compassion puisqu'elle reconnaît dans le discours qu'elle entend, la totalité ou une partie de ses propres déboires. La réceptivité de l'intervenante est forcément différente par rapport à ce qu'elle laisse percevoir normalement. Lorsque le délinquant dévoile ses pensées intimes et qu'il déploie son jeu de séduction et de courtisanerie, il fait face à une employée disposée à profiter de ces moments agréables qui débordent du contexte professionnel. Le cadre intime qui se développe favorise le dévoilement de renseignements personnels ce qui constitue une erreur non négligeable de la part de l'intervenante. Dès lors, la relation entre les deux individus devient égalitaire, si bien que le détenu est perçu davantage comme un partenaire plutôt que le bénéficiaire d'un support thérapeutique. Ses problèmes revêtent alors une importance secondaire au profit des besoins personnels de son interlocutrice.

L'expérience nous démontre que la plupart des fonctionnaires qui ont succombé au piège des sentiments vivaient une période tumultueuse de leur vie alors qu'ils étaient perturbés et sensibles émotivement. En temps normal, alors qu'ils ne sont pas envahis par ces problèmes personnels, ils auraient probablement réagi différemment et plus prudemment face à la même situation.

Au chapitre des problèmes personnels, il n'est pas rare non plus de constater qu'un employé puisse vivre de sérieux ennuis avec ses patrons ou avec des confrères de travail. À la suite de querelles intestines, certaines personnes se retrouvent isolées ou même rejetées par leurs confrères et consœurs.

Dans un climat de travail difficile ou tendu, les travailleurs resserrent normalement leurs liens pour mieux affronter l'épreuve. Dans un contexte carcéral, si un employé correctionnel est incapable de trouver refuge auprès de ses pairs, il sera peut-être tenté d'investir davantage dans ses relations avec les détenus en général ou, en particulier avec ceux ou celui auprès de qui il ressent le plus de satisfaction.

Il arrive que de malheureux fonctionnaires soient l'objet de harcèlement ou de plaisanteries maladroites et mesquines de la part de collègues. L'humour personnalisé, grossier et méchant contribue généralement à dévaloriser et isoler la personne visée. Celui ou celle qui a de la difficulté à composer avec cette forme d'agression affligeante refoule sans cesse son ressentiment à l'égard de ces partenaires insouciants ou cruels qui minent son moral. Viendra un temps où l'employé trouvera plus de réconfort et de satisfaction au travail en partageant avec des détenus plutôt qu'avec ses confrères et consœurs.

Techniques d'approche

Les délinquants les plus perspicaces n'ont pas de difficulté à se rendre compte de l'attitude désobligeante d'un groupe d'employés à l'égard d'un de ses membres. Afin de récupérer la situation à leur avantage, quelques prisonniers n'hésitent pas à venir amadouer celui ou celle qui est devenu la tête de Turc de son entourage en utilisant des formules du genre : « Ils ne sont pas corrects avec vous, ils vous traitent de la même façon que nous.» Une telle approche a pour but de créer un clivage encore plus évident entre le fonctionnaire victime de railleries et ses pairs, tout en lui faisant remarquer que, finalement, il est davantage dans le camp des surveillés plutôt que des surveillants, puisqu'il est rejeté de son groupe d'appartenance et considéré au même titre que l'ensemble des prisonniers.

La stratégie des rumeurs exagérées ou non fondées est également une source de dissensions entre employés. Afin d'attiser des conflits, les délinquants propagent des rumeurs concernant la réputation, l'intégrité ou le professionnalisme de certains membres du personnel, ce qui éveille l'irascibilité des individus concernés ou sème carrément la discorde.

À l'inverse, la flatterie peut aussi servir des intérêts cachés. À cet égard, des employées nous ont révélé le genre de propos enjôleurs qu'elles avaient entendus de la part de certains détenus entreprenants. Ainsi, une intervenante manifestement anxieuse dans l'exécution de ses nouvelles fonctions a reçu des paroles encourageantes et valorisantes du genre :

« Jamais personne ne m'a si bien compris que toi. »

« Ici, tout le monde nous regarde comme si nous étions des déchets, sauf toi. »

« Tu n'es pas comme les autres, tu fais ton job sans abuser de ton autorité. »

« Si je t'avais connue avant, je ne serais jamais rendu où j'en suis. »

S'agit-il de paroles sincères ou de manipulation? Quoi qu'il en soit, la personne qui reçoit ces confidences doit d'abord être méfiante, puis vérifier le fond de la pensée de son interlocuteur et, finalement, réaffirmer son rôle professionnel et le type de relation qu'elle entend poursuivre avec le sujet.

Lorsqu'on oeuvre dans un milieu carcéral, il est toujours appréciable d'entendre des paroles qui expriment la reconnaissance et l'estime pour le travail accompli, car de tels compliments sont plutôt rares. Cependant, il ne faut pas modifier ou intensifier pour autant les interventions auprès du délinquant à moins, bien entendu, que cela réponde à ses besoins. Dans certains cas, l'intervenant a l'impression qu'il peut réussir là où ses prédécesseurs ont échoué et il croit que ses efforts portent fruit. Conséquemment, il peut être tenté d'en faire davantage et de sortir de son cadre professionnel et thérapeutique.

Les expériences passées nous apprennent également que des remarques ou des gestes encore plus personnels peuvent être exprimés à l'égard des fonctionnaires.

Certains individus incarcérés démontrent beaucoup d'assurance au gré de leurs rencontres avec des fonctionnaires et se permettent des privautés qui, normalement, n'ont pas leur place dans le cadre d'une relation d'autorité. Par exemple, une employée se verra peut-être complimentée pour sa tenue vestimentaire. Si la réponse est favorable, autant avec le langage verbal que non verbal, le sujet reviendra à la charge, mais en évoquant cette fois-ci la longueur de la robe, la beauté des jambes de l'employée et pourquoi pas un commentaire à propos de son décolleté?

La technique du toucher constitue également une méthode pour envahir peu à peu l'intimité d'une autre personne. Au fil de ses conversations, le détenu peut gesticuler beaucoup, tout en ayant la manie de toucher la personne à qui il s'adresse. Au début, il établira un contact avec la main ou le bras, par la suite, s'il ne ressent pas d'opposition, il saisira l'épaule puis s'aventurera peut-être dans les cheveux. Au terme de la rencontre, il sollicitera une accolade en guise d'appréciation pour l'aide et le soutien qu'il reçoit. Toutefois, à chaque rencontre, l'accolade du détenu dure de plus en plus longtemps et se fait ardente, puis suivra peut-être un baiser timide au début et quoi encore?

Dans de telles situations, la fonctionnaire peut se sentir très embarrassée. Mal à l'aise, elle ne sait trop comment réagir et craint qu'une intervention vienne brusquer son sujet ou nuire au cheminement qu'il a amorcé. Les intervenants peu expérimentés cherchent parfois à trop accommoder ou à trop se faire aimer et apprécier des délinquants. Cependant, on comprendra bien que le fait de ne pas réagir ne serait-ce que pour vérifier les intentions du détenu ou encore pour établir des limites de ce qui est acceptable à l'intérieur d'un cadre thérapeutique risque d'entraîner la progression continuelle de ce stratagème. Il importe toutefois de se rappeler que certains peuples d'Europe ou d'ailleurs dans le monde ont des coutumes différentes des Nord-Américains et parmi celles-ci, on dénote une forte tendance à se faire des accolades ou à toucher son interlocuteur lors de discussions. Dans ces cas, toutefois, les gestes ne sont aucunement tendancieux et ne vont pas en s'amplifiant.

Le type de discours susceptible de piéger celles qui ne se méfient pas est sans aucun doute la conversation à connotation sexuelle. Sans que la sexualité ne soit nécessairement à l'ordre des discussions, le détenu peut tenter d'orienter son discours en fonction de son intérêt pour ces sujets délicats, en les abordant d'une manière non menaçante. Il essaiera, par exemple, de sonder la réceptivité de l'employée en émettant des commentaires et des jugements susceptibles d'être bien accueillis, telle sa désapprobation à l'égard de certaines pratiques sexuelles ou encore sa perception des plaisirs charnels qu'il considère indissociables des sentiments amoureux véritables.

Certains délinquants plus audacieux et vulgaires se livrent à de l'exhibitionnisme au sortir de leur douche ou encore dans leur cellule, lorsqu'il savent pertinemment qu'un membre du personnel féminin sera le témoin inévitable de leur démonstration impudique.

D'autres types plus galants et subtils offriront gracieusement de petits cadeaux à celle qu'ils courtisent. Inoffensifs en apparence, ces marques d'appréciation peuvent constituer de véritables appâts pour celles qui ne se méfient pas. Dans ce cas-ci, comme dans toutes les situations précédentes, l'employée doit répondre avec justesse pour mettre un terme à cet étalage trompeur du détenu, sans quoi elle sera vulnérable et risquera de se faire piéger.

L'importance de réagir adéquatement

À quelques reprises, on nous a confié qu'il était tentant de jouer le jeu du détenu. Cette solution peut paraître la plus simple lorsqu'on ne sait trop comment intervenir. L'employée peut également être ambivalente quant aux intentions réelles du détenu et, par crainte de se rendre ridicule, elle préfère attendre des indices plus manifestes. D'autres considèrent la situation amusante et flatteuse si bien qu'elles veulent voir jusqu'où ira la courtisanerie. Dans un cas particulier, la fonctionnaire nous a même avoué avoir répondu aux attentes du délinquant dans le but de normaliser la vie de ce dernier et de l'aider en lui faisant découvrir des sentiments jusqu'alors inconnus. Elle estimait que cette approche pouvait possiblement susciter un intérêt nouveau dans la vie du délinquant et l'orienter hors de la criminalité.

Lorsqu'une employée décide de « jouer le jeu », elle a tendance à croire qu'elle peut mettre un terme à cet épisode facilement et en tout temps, car elle a l'impression d'être en mesure de dominer, ou du moins, de décider du sort de cette relation, en raison de son rôle d'autorité. Aussi, au fond d'elle-même, dans son rationnel, elle ne croit pas vraiment à la viabilité d'une liaison où les entraves sont si importantes. Or, cette approche présente des risques énormes puisqu'elle est dépourvue d'honnêteté au niveau des sentiments, et mine inévitablement la qualité du lien thérapeutique entre l'intervenant et le bénéficiaire, car les discussions seront plutôt artificielles. De plus, le détenu entretient probablement de faux espoirs en interprétant à tort les réponses qu'il reçoit, ce qui, tôt ou tard, engendrera une vive réaction. Finalement, il y a fort à parier que celle qui se prête à un jeu semblable deviendra victime de ses propres sentiments. Il faut bien comprendre que les avances qui semblent anodines au début deviendront plus envahissantes avec le temps. L'attitude et les propos doux, chaleureux et touchants procurent une certaine exaltation et un bien-être auxquels on ne veut pas mettre un terme. La personne qui ne s'oppose pas aux avances de son courtisan, lui transmet consciemment ou non, un message qui peut être interprété favorablement.

Examen d'un cas vécu

Les exemples ne sont pas rares où des relations intimes entre un détenu et un membre du personnel féminin ont fini par éclater au grand jour, à la stupéfaction de plusieurs membres de leur entourage et au grand désarroi des deux protagonistes. Dans certains cas, la relation n'en était qu'à ses débuts alors que pour d'autres, les relations sexuelles avaient atteint une certaine périodicité. Nous pouvons relater plusieurs faits passés qui témoignent ainsi de l'engagement et de la passion de fonctionnaires à l'égard d'un détenu. Toutefois, puisque le présent chapitre plus que tous les autres fait état des émotions que peuvent éprouver des individus, nous jugeons qu'il est plus pertinent de relater surtout les différents sentiments qu'a pu vivre une employée ayant développé une liaison avec un des détenus dont elle avait la responsabilité du dossier. Ces renseignements intimes ont été recueillis en relisant les lettres que l'employée avait fait parvenir à son soupirant et qui ont été saisies pour fins d'enquête, lors de la découverte du pot aux roses. Nous croyons qu'il serait fastidieux et inconvenant de reproduire ici le texte intégral de ces lettres et, pour cette raison, nous avons plutôt choisi de décrire les états d'âme et les émotions que l'auteure a communiqué et que nous avons perçus dans ses lettres. Le cas que nous avons choisi de dépeindre s'avère représentatif de plusieurs événements similaires dont nous avons eu connaissance.

Curieusement, nous constatons que les gens semblent se confier davantage lorsqu'ils couchent sur papier leur fièvre amoureuse. Ainsi, nous croyons qu'il est plus facile de confier des paroles sensibles et touchantes en les rédigeant minutieusement dans une lettre qui sera lue en l'absence de son auteur plutôt que de faire d'ardentes déclarations improvisées et parfois maladroites. Puisque les sentiments communiqués par écrit sont souvent plus mûris et ardents, cela semble ajouter à l'intensité de la relation. Dans le cas présent, la fonctionnaire que nous nommerons Nancy pour les besoins de la cause, reconnaît dans une de ses lettres qu'elle exprime davantage sa passion lorsqu'elle se livre par écrit.

Comme d'autres employées ayant vécu la même expérience, Nancy modifie volontairement son écriture et signe en utilisant un pseudonyme. Le délinquant qu'elle aime figure parmi le groupe de détenus à qui elle doit rendre des services professionnels. Le sujet est intéressant, se présente bien, et a besoin d'aide pour régler définitivement les problèmes qui sont à la source de sa criminalité. Puisqu'il s'agit d'un individu ayant du potentiel et paraissant motivé à évoluer positivement, Nancy ne ménage pas ses énergies pour procurer au détenu, que nous nommerons Mario, tout le support et l'encadrement dont il peut avoir besoin. En réalité, il s'agit d'un cas privilégié qui est rencontré presque aussitôt sa demande faite et qui profite de périodes d'entrevue plus longues que nécessaire, il va sans dire. Autant lors de ces entretiens face à face que dans les lettres qu'elle lui poste, Nancy dévoile certaines facettes de sa vie privée.

Ainsi, elle écrit que sa vie de couple n'est plus très satisfaisante et qu'elle s'interroge sur son avenir. Elle aime bien ses enfants, mais ne ressent plus la flamme d'antan pour son mari. Les faiblesses et les habitudes harassantes de ce dernier semblent avoir pris le dessus sur les qualités et les charmes qui faisaient de lui l'homme chéri, à l'aube de leur liaison. Elle déborde de propos flatteurs et enjôleurs pour celui qui fait renaître en elle les ferveurs de l'amour. Elle raconte ses rêves et ses projets les plus fous avec celui qui comblerait sa vie. Ses lettres révèlent un monde idyllique dans lequel le couple évoluerait. Elle n'hésite pas à décrire les soirées et les nuits de volupté qu'elle souhaiterait partager avec son nouvel amoureux.

Dans sa tête, la réalité et les rêves se chevauchent pendant qu'elle est tiraillée par l'inévitable blessure qu'elle doit infliger au détenu ou à son mari car, tôt au tard, elle sait bien qu'elle devra annoncer son choix en faveur de l'un ou l'autre. Les projets élaborés depuis si longtemps avec son partenaire et surtout ses enfants, l'incitent à mettre fin à cette nouvelle relation. Toutefois, intérieurement, elle n'est pas satisfaite de son sort actuel; elle recherche du nouveau et veut vivre le romantisme et la fougue de l'amour. D'ailleurs, elle ressent un ardent désir pour Mario qui semble répondre à ses critères. L'incarcération de celui-ci représente toutefois un problème de taille. À quoi bon abandonner les siens pour quelqu'un qui n'est pas libre? De son côté, Nancy se sent coupable de son amour. Sa situation et son travail lui interdisent cette relation. La nouvelle flamme qui l'anime la rend fébrile, car elle veut vivre son amour au grand jour et surtout, faire part de son bonheur à tout son entourage, mais elle en est incapable. L'amour n'est pourtant pas un sentiment qu'elle veut refouler et dissimuler aux autres.

À cause de cette situation ambiguë, elle craint l'opinion et la réaction des gens qui l'entourent. Assurément, elle réalise qu'elle est allée trop loin et l'exprime tant bien que mal dans ses lettres, espérant probablement que Mario décide par lui-même de mettre un terme à cette situation chaotique. À certaines occasions, on sent qu'elle veut revenir en arrière, mais elle ne sait trop comment s'y prendre sans se faire du mal et sans trop bousculer celui qui est maintenant omniprésent dans sa vie. Nancy est prise au piège de l'amour et elle a peur de perdre son mari, son emploi ou son nouvel amoureux. En rompant définitivement avec ce dernier, elle redoute une vengeance qui pourrait aussi lui coûter son emploi. Elle sait bien que Mario peut tout révéler pour lui causer du tort. Idéalement, elle voudrait mettre fin à cet amour tout en conservant une bonne amitié, ce qui s'avère un compromis fort louable, sauf en milieu carcéral. Nancy devra continuer à rencontrer Mario dans le cadre de son travail. Comment pourra-t-elle oublier et continuer à accomplir ses tâches professionnellement, surtout si Mario insiste pour reprendre la liaison? Et puis toutes ces lettres qu'elle a rédigées et qui sont en possession du détenu, cela représente une menace constante qui peut être utilisée à ses dépens. Comment faire pour les récupérer? Nancy parle même dans ses lettres d'un petit cadeau qu'elle lui a déjà remis, possiblement un bijou. Vraiment, elle sent bien qu'elle est à la merci de Mario.

L'ambivalence de ses amours l'incite à tenter des rapprochements auprès de son mari afin de régulariser sa situation. Ces essais s'avèrent non seulement infructueux, mais le mari a remarqué chez sa partenaire, depuis quelque temps, une attitude changeante et préoccupée, ce qui l'inquiète et le rend soupçonneux.

Les rencontres entre le détenu et son intervenante sont plus fréquentes et Nancy craint qu'un confrère remarque quelque chose d'inhabituel. Lors de ces rencontres, Mario se fait de plus en plus exigeant et envahissant. À un moment donné, il sollicitera un engagement plus ferme de Nancy et exprimera son désir d'avoir une relation sexuelle. Pour sa part, Nancy se sent complètement troublée. Il y a longtemps qu'elle rêve de vivre ce moment-là avec son amoureux mais pas dans ces conditions. Son cœur dit oui, mais sa raison la retient encore. Mario manifeste des signes d'impatience devant les hésitations de celle qu'il espère avoir conquise. Plus que jamais, Nancy se sent isolée et impuissante face à son problème. Elle ne sait pas à qui se confier et pourtant, elle aurait tant besoin d'être éclairée. Parfois, elle songe à quitter son emploi afin de poursuivre légitimement cette relation. Toutefois, ses chances de rencontrer son amoureux dans l'intimité seront alors réduites. De plus, elle n'aura plus la possibilité d'intervenir directement dans le dossier de Mario. Finalement, lorsque celui-ci sera enfin libéré, éprouvera-t-il toujours les mêmes sentiments pour Nancy?

Une autre solution serait de tout révéler aux autorités, mais à quel prix? Qu'adviendra-t-il de son emploi? Lui laissera-t-on une chance? Comment expliquer les lettres envoyées pendant si longtemps et le cadeau? Croira-t-on à sa version des faits? Que penseront les collègues de travail? Sera-t-il possible d'avoir encore confiance en elle? Elle sent qu'elle a franchi un point de non retour.

Nancy se sent vraiment seule et désespérée face à ses problèmes. Elle est tourmentée par des sentiments contradictoires et voit que la situation échappe à son contrôle. Finalement, l'inévitable se produit alors qu'une erreur est commise et la vérité éclate au grand jour. Cette relation éphémère n'aura procuré que bien peu de bonheur par rapport à toutes les conséquences fâcheuses.

Un lot de conséquences

Dans le cas que nous venons de décrire, comme pour plusieurs autres, on constate que les tracas personnels, la confusion affective et le désordre intérieur que peut vivre un membre du personnel pendant ses heures de travail constituent des éléments qui facilitent la vulnérabilité au piège des sentiments, sans toutefois en être des préalables. Peu importe les motifs qui les ont conduites dans cette situation, une fois qu'elles se sont irrémédiablement compromises, les victimes sont confrontées à de graves conséquences.

Ainsi, des rapports secrets et intimes établis avec un délinquant incarcéré peuvent vite conduire à la manipulation, au chantage, à la complicité ou même à la perpétration d'actes criminels. Sur le plan professionnel, l'employée n'a plus le même rendement qualitatif et quantitatif lorsqu'elle est obnubilée par ses préoccupations personnelles. À l'égard de ses confrères, elle devient plus distante et ses agissements amènent la perte de confiance et le rejet de son entourage. À un niveau plus personnel, elle vit beaucoup d'anxiété en raison de sentiments de peur, de culpabilité, d'incertitude, d'insécurité et de confusion affective. L'issue souvent négative de ces drames individuels risque d'entraîner une période de dépression et de désespoir suivant l'agitation que les événements ont provoquée dans la vie familiale et professionnelle, conséquemment aux mesures qu'a dû prendre l'employeur. Finalement, le rêve d'une vie romantique et sentimentale auprès d'un prince charmant tourne au cauchemar.

Établir un cadre professionnel

Tous les intervenants, quel que soit leur rôle à l'intérieur d'un établissement carcéral, se doivent d'établir des limites qu'ils ne franchiront pas, afin de préserver la relation professionnelle qu'ils sont responsables de maintenir auprès de leurs bénéficiaires incarcérés.

Au départ, il est fondamental que chaque détenu comprenne bien le rôle et les fonctions qui incombent au fonctionnaire à qui il s'adresse. Au besoin, il ne faut pas hésiter à faire les rappels nécessaires.

La durée, la fréquence des rencontres et la façon de solliciter celles-ci devraient également faire l'objet d'une mise au point, aussitôt que l'intervenant décèle une forme d'abus ou de manipulation venant du délinquant.

Il faut également fixer des limites à la familiarité. Les rencontres ne seront pas moins chaleureuses ou productives si l'agent correctionnel exprime ses restrictions à l'égard des contacts physiques ou même du langage et des mots utilisés (surnoms, humour, etc.).

Une fois ces limites établies et bien comprises de la clientèle carcérale, les intervenants doivent ensuite être vigilants et sensibles à la dynamique et l'évolution de leurs relations, afin d'éviter des erreurs de parcours ou des maladresses de leur part.

Ainsi, au fil des entrevues, il faut prendre garde de ne pas dévoiler de renseignements personnels ou intimes, même si le délinquant fait preuve de beaucoup d'ouverture à cet égard. De plus, les confidences des détenus doivent demeurer dans les limites du cadre thérapeutique. Il faut se méfier des révélations gratuites qui n'ont pas de liens avec la discussion en cours. Donc, seule la vie privée du délinquant doit faire l'objet de discussions et ce, lorsque l'intervenant considère qu'il est pertinent d'aborder ce sujet. Également, les entrevues de fond devraient, autant que possible, être planifiées et structurées à l'avance afin d'éviter les improvisations sur les sujets de discussion. Les agents correctionnels ont, et doivent maintenir, une marge de respect et une relation d'autorité face à leur clientèle. Au besoin, il ne faut pas hésiter à vérifier et confronter les dires des détenus.

En milieu carcéral, on doit être extrêmement prudent lorsqu'un délinquant offre un présent de quelque nature que ce soit. Le fait d'accepter un cadeau, peu importe sa valeur, risque de créer des attentes et d'avoir une signification toute particulière pour le délinquant.

Quelques cas exigeants et complexes sur le plan professionnel peuvent parfois nécessiter l'encadrement de spécialistes ou l'intervention d'employés plus expérimentés ou plus aptes à répondre à certains besoins spécifiques. En pareille situation, les intervenants doivent avoir l'humilité et la sagesse de reconnaître les limites de leurs moyens et de leurs compétences. Trop souvent, les personnes ne sachant plus comment répondre à diverses situations auxquelles elles sont confrontées ont tendance à réagir impulsivement, tout en sortant du cadre thérapeutique.

Ces personnes devraient toujours pouvoir trouver, dans leur environnement professionnel, quelqu'un de disponible, à qui elles peuvent se confier et parler de leurs perceptions afin de découvrir les meilleures issues, tant pour le délinquant que pour elles-mêmes. Le support, le dialogue et l'esprit d'équipe entre les employés correctionnels sont essentiels à l'équilibre et l'apprentissage de chacun. On n'insistera jamais trop sur l'importance de prendre le temps d'écouter, d'épauler et de bien guider les fonctionnaires qui doivent œuvrer auprès de la clientèle carcérale.

Tout en agissant professionnellement dans le cadre de ses fonctions, un intervenant peut ressentir divers sentiments à l'égard d'un détenu. Le détenu se rendra possiblement compte de l'effet qu'il provoque. Il ne faut pas se sentir coupable pour autant, puisqu'il s'agit là d'un phénomène tout à fait humain. Il importe donc d'accepter ces sentiments, tout en apprenant à les contrôler et les analyser dans un objectif de croissance personnelle. En composant sainement avec leurs sentiments et en ne mêlant pas leur vie personnelle à leur vie professionnelle, les employés des services correctionnels veillent à leur équilibre et au maintien d'un climat d'aide et de contrôle des délinquants. Si, au contraire, ils dérogent de ces paramètres, ils risquent d'être conquis dans un premier temps, mais aussi d'être confrontés à de lourdes conséquences, par la suite.

Finalement, il faut respecter les limites qui ont été fixées au départ, conserver le même schème de référence pour tous les détenus, agir équitablement et avec dosage pour chacun d'eux, et, dans l'incertitude, s'interroger pour savoir si le comportement adopté et la nature des propos seraient les mêmes en présence d'un patron, d'un collègue de travail ou d'un autre détenu.

Des sentiments hostiles

L'arrivée du personnel féminin
À travers les âges, nos sociétés ont régulièrement eu recours à l'emprisonnement pour se protéger des individus présumés dangereux et pour châtier les criminels. D'imposantes forteresses ont donc été érigées afin d'éviter que d'aucuns ne s'échappent et viennent ensuite terroriser la population. De ces lieux de réclusion, a longtemps émergé l'image d'un monde infâme et barbare dans lequel seuls des geôliers costauds et musclés pouvaient maintenir l'ordre et mater les bagnards brutaux et récalcitrants. Au cours des deux dernières décennies, le milieu carcéral a considérablement évolué et les perceptions ont changé. Les emplois dans le domaine correctionnel qui étaient jusqu'alors l'apanage des hommes à part bien sûr dans les rares établissements de détention pour femmes se sont libéralisés, cédant ainsi à des mouvements féministes, mais surtout à ces nouvelles législations favorisant l'équité en matière

d'emploi et l'abolition de toute forme de discrimination. Les mentalités ont changé ainsi que les méthodes de travail et les moyens de contrôle des détenus. Le voile s'est finalement levé sur un mythe surfait à propos des conditions de vie et de travail derrière les barreaux, portant ainsi un dur coup aux machos qui ont toujours prétendu que les femmes ne pouvaient y trouver leur place.

Bien sûr, certaines interventions physiques sont inévitables et imprévisibles, ce qui exige une capacité de réplique minimale. Or, les corps policiers et les services correctionnels songent de plus en plus sérieusement à instaurer des épreuves d'aptitudes physiques comme conditions minimales d'emploi. Ainsi, tout en offrant les mêmes opportunités aux femmes qu'aux hommes, les candidates et candidats devront réussir certaines épreuves physiques correspondant aux efforts susceptibles de fournir d'être fournis lors de diverses situations de travail. Ces mêmes épreuves devraient être administrées à tous les employés, à intervalles réguliers au cours de leur période d'emploi. En agissant ainsi, on veut s'assurer que les membres du personnel soient tous en mesure de fournir les efforts physiques minimums et nécessaires à leur propre sécurité et celle de leur entourage.

Les bras musclés sont certes appréciables lorsque la situation l'exige, mais l'expérience démontre que le sang froid, la détermination, la finesse d'esprit, le bon jugement et le contrôle de soi sont aussi des atouts essentiels, qui peuvent cependant faire défaut chez certaines personnes des deux sexes. Bref, depuis l'arrivée du personnel féminin dans les centres de détention, on se rend compte que l'encadrement sécuritaire n'est pas affaibli et que la qualité et l'efficacité du travail correctionnel demeurent constantes.

En dépit des nouveaux courants de pensée qui influencent les orientations du système carcéral, le machisme est encore bien présent dans les rapports quotidiens entre collègues de travail. Ainsi, il n'est pas rare d'entendre des esprits bornés faire des gorges chaudes en reprochant à leurs consœurs de travail d'être trop émotives envers des détenus, en se laissant attendrir par de belles paroles, ou pire encore, dans des cas exceptionnels, de succomber aux avances amoureuses d'un détenu trop entreprenant.

Un piège à double face

Ces critiques acerbes proviennent bien de divers faits vécus qui ont, à chaque fois, terni l'image de l'organisation. Mais, si l'attirance naturelle d'un être humain pour un individu de l'autre sexe peut parfois conduire certains membres du personnel féminin à se laisser entraîner dans des liaisons amoureuses avec un détenu, il ne faut pas croire pour autant que les hommes sont à l'abri du piège des sentiments. Somme toute, les situations problématiques occasionnées par les hommes passionnés sont définitivement plus nombreuses, toute proportion gardée, que celles engendrées par leurs collègues de sexe féminin.

Si on reproche surtout à ces dernières des sentiments bienveillants, il en est tout autrement pour les employés masculins qui, pour leur part, démontrent quelquefois des sentiments hostiles envers la population carcérale. Que ce soit des excès de zèle, le refus de répondre adéquatement aux demandes des détenus, l'emploi d'un langage abusif et provoquant, le recours à des épithètes injurieuses, des gestes de défiance, l'usage de la force excessive ou même la violence gratuite, dans tous les cas, il s'agit d'une conduite anti professionnelle qui exprime des sentiments de haine, de frustration ou de rancoeur.

Les agents correctionnels sont investis de pouvoirs régis par des lois et diverses réglementations internes. Leur rôle n'est donc pas de « faire la loi », mais bien de l'appliquer avec justesse et modération. Bien que généralement, le personnel adhère d'emblée à cette affirmation, nous assistons néanmoins à des écarts de conduite et des abus d'autorité sporadiques toujours trop fréquents. D'ailleurs, ce phénomène n'est pas exclusif au système carcéral puisque des situations semblables se produisent aussi avec des policiers. Les médias rapportent régulièrement les cas d'individus qui se seraient fait tabasser lors de leur arrestation. Les commissions de déontologie policière reçoivent chaque année une quantité impressionnante de plaintes déposées par des citoyens s'estimant lésés. Les abus de pouvoir sont également monnaie courante dans de nombreux lieux de travail, dans les écoles et même dans certains foyers.

Toutes ces situations ont bien souvent un dénominateur commun, c'est-à-dire le manque de contrôle des émotions. Ainsi, les sentiments personnels sont parfois si intenses qu'ils embrouillent le jugement et conduisent à des paroles ou des actes inconsidérés et préjudiciables à autrui. Il faut beaucoup de maturité, de circonspection et de retenue pour ne pas réagir émotivement dans certaines situations qui nous touchent profondément.

Des impulsions à maîtriser
En dépit de leur incarcération, les détenus peuvent quand même profiter d'une certaine liberté résiduelle à l'intérieur des établissements de détention. Le régime de vie qui prévaut dans ces endroits de réclusion n'est pas comparable aux camps de concentration et on n'y retrouve plus la discipline militaire rigoureuse d'antan. En contrepartie, les paroles désobligeantes, l'agressivité, la provocation et les menaces font partie du flot quotidien que doivent assumer les employés correctionnels. Bien qu'ils

disposent de moyens légitimes pour discipliner les éléments négatifs, les employés peuvent parfois être tentés de se faire justice d'une façon plus expéditive que par les canaux officiels, envers lesquels il leur arrive de perdre confiance. Ainsi s'instaure l'anarchie, lorsque les agents de la paix répondent à l'appel de la colère en se livrant aux mêmes outrages que les délinquants.

Comment peut-on alors prêcher la justice, l'ordre et le respect lorsque les figures d'autorité ne sont plus des modèles de référence? Malheureusement, il ne faut que quelques éléments perturbateurs pour réussir à ternir l'image et faire perdre confiance en l'organisation.

Certaines personnes ont une approche fort différente avec les délinquants du fait qu'elles soient seules ou avec des confrères ou consoeurs de travail. Leur attitude peut cacher un sentiment d'insécurité qui les incite à agir avec une sévérité inutile. En ne reconnaissant pas leurs limites ou leurs peurs, ils convertissent leurs craintes en offensive. Pour les autres, plus machos, c'est avant tout l'image qui compte. Afin d'étaler leur hardiesse et de prouver qu'ils ne sont pas intimidés par des criminels, même les plus crapuleux, il se donneront, sans vergogne, un style cru, cassant, dictatorial. Dans leurs rapports avec les détenus, ils craignent de perdre la face et, du même coup, leur supériorité, si bien que leurs interventions revêtent un caractère personnel, où la défaite n'a pas sa place. Certains autres étiquettent négativement la population carcérale, à un tel point qu'ils considèrent les délinquants comme faisant partie d'un camp ennemi, ce qui justifie leurs bassesses.

La naissance de conflits avec des têtes fortes ou des personnalités antipathiques est parfois inévitable. Certains individus particulièrement hostiles, arrogants et méchants ébranlent le système de valeurs des gens conformistes jusqu'à les inciter à devenir des justiciers. Le fait de croiser et de subir tous les jours les mêmes individus hostiles rend le travail insoutenable, si bien qu'un jour ou l'autre le refoulement atteint sa limite et l'agent correctionnel provoque délibérément une situation susceptible d'entraîner une violente réaction du détenu. Un tel geste justifierait ensuite une réplique virulente pour avoir le dernier mot, ce qui permettrait alors à l'agent correctionnel de réaffirmer sa supériorité et sa rectitude en tant que figure d'autorité. Certains actes de vengeance peuvent être encore plus pernicieux, au point où des fonctionnaires laissent échapper des rumeurs plus ou moins fondées, dans le but d'attiser l'animosité entre détenus et provoquer possiblement des règlements de compte sur lesquels ils fermeront les yeux ou tarderont à intervenir. Pire encore, des arnaques peuvent être montées de toutes pièces, dans le seul but de piéger et châtier ensuite les détenus.

Une approche préventive et constructive

Il est essentiel que les autorités des centres de détention soient sensibles à toute forme d'intolérance de la part de son personnel. Une attention et un encadrement particuliers devraient être accordés aux employés oeuvrant dans des unités de ségrégation à sécurité supermaximum où sont gardés généralement les criminels les plus récalcitrants. Dans ces endroits, il serait même préférable d'assurer la rotation du personnel afin d'éviter que certains éléments s'insensibilisent ou développent des préjugés à l'égard de la population carcérale. Il faut également inciter et encourager les échanges de points de vue et les discussions chez le personnel afin de déceler les signes précurseurs qui annoncent la perte de contrôle émotif chez les plus « passionnés ».

En dépit des tares que nous pouvons imputer aux délinquants, ceux-ci savent reconnaître les injustices et les abus auxquels ils sont soumis. Lorsqu'un agent correctionnel outrepasse son rôle d'autorité ou s'adonne à des actes de provocation ou de vengeance, il franchit malheureusement un pas supplémentaire dans l'escalade de haine et de mépris entre surveillants et surveillés. Les détenus réfrènent alors la révolte qui bouille en eux et n'attendent que le moment propice pour se déchaîner. Le climat de travail s'alourdit de plus en plus et devient explosif, si bien qu'on note chez le personnel une augmentation du stress et de l'épuisement professionnel.

De nos jours, heureusement, le système de justice pénale se veut soucieux de sa transparence et offre une facilité accrue de dénoncer les abus et d'entreprendre des poursuites, ce qui, de toute évidence, a contribué ostensiblement à réduire les excès et les règlements de compte « personnels ». Les employés correctionnels agissent davantage avec professionnalisme et réalisent du même coup que leur mission n'est pas simplement d'assurer la garde et le contrôle des délinquants, mais aussi de veiller à ce qu'ils acquièrent des compétences psychosociales, afin de faciliter leur réhabilitation.

Il faut beaucoup de confiance en soi pour délaisser un tant soit peu le rôle de domination sur les détenus au profit d'un engagement dans la relation d'aide. Il est certes plus facile d'adopter une approche directive et autoritaire pour commander les délinquants plutôt que de prendre la peine de discuter pour éduquer et convaincre. Bien sûr, un ton ferme et autoritaire aura toujours sa place à certaines occasions dans le milieu carcéral, car la clientèle que l'on y retrouve vit majoritairement un problème de discipline et, à cet égard, elle doit apprendre à se conformer à des directives verbales. Toutefois, aussi souvent que l'occasion le permet, cette même clientèle doit aussi apprendre à négocier et à s'exprimer en respectant quelques règles élémentaires de bienséance, et pour cela, on doit lui procurer les occasions de se faire valoir. Le personnel des établissements carcéraux maintiendra toujours son rôle d'autorité, mais il est parfois judicieux de ne pas le mettre en évidence afin de favoriser la création de rapports plus harmonieux et constructifs entre surveillants et surveillés.

LES INITIATIVES CLANDESTINES

Un phénomène utile, mais pernicieux

Il est maintenant courant d'apprendre par les médias que les auteurs d'un crime retentissant ont pu être inculpés et condamnés grâce à la collaboration d'un délateur. De leur côté, les corps policiers reconnaissent d'emblée que de nombreuses enquêtes auraient traîné en longueur sans peut-être trouver d'issue finale, n'eût été de la précieuse contribution d'individus qui ont fourni des indications sur diverses organisations criminelles ou qui ont même décidé, pour des raisons personnelles, de passer aux aveux et de dénoncer des complices ou les responsables de crimes graves. L'apport des informateurs et des délateurs prend tant d'importance dans le travail policier que des enquêteurs tentent continuellement de recruter de nouveaux candidats disposés à partager leurs informations. Des budgets de plus en plus appréciables leur sont alloués pour monnayer les renseignements reçus. On a également mis sur pied des programmes de protection pour assurer la sécurité de ceux qui ont encouru le plus de risques en dénonçant ou en témoignant contre des criminels d'envergure. Soulignons dès maintenant la différence entre un informateur et un délateur. Dans le premier cas, il s'agit d'un individu qui divulgue des renseignements à la police permettant ainsi de faire avancer ou de résoudre des enquêtes. Le délateur, pour sa part, est celui qui acceptera de se compromettre davantage en allant témoigner en cour contre un ou plusieurs accusés.

Le phénomène de la délation ne fait pas exception en milieu carcéral. D'importants complots d'évasion ont été mis à jour grâce aux indications fournies par des détenus. Des événements d'une extrême gravité, tels des règlements de comptes, des agressions sur le personnel ou des mouvements de masse visant à perturber le bon ordre des centres de détention ont également pu être évités puisque les autorités avaient été prévenues à temps. Régulièrement, la fouille des aires d'activités, des cellules, des détenus eux-mêmes ou de leurs visiteurs permet de saisir des quantités de drogue substantielles ou divers articles de contrebande. À quelques reprises, des armes à feu ont été retrouvées avant qu'elles ne servent à un quelconque projet funeste. Le flair et les habiletés du personnel correctionnel ne sont pas étrangers à ces succès, mais il faut néanmoins accorder une proportion de réussite non négligeable à la précieuse collaboration de délinquants qui ont rompu la loi du silence. Les informateurs rendent donc des services inestimables aux administrateurs de prisons et pénitenciers, si bien qu'on ne saurait se priver de leur contribution.

Bien que certaines informations parviennent aux autorités sous forme de messages anonymes, il n'en demeure pas moins que la plupart des individus qui acceptent de collaborer, préfèrent plutôt partager de vive voix les secrets qu'ils détiennent, espérant du même coup y trouver leur compte. À l'instar des grands corps policiers, les services correctionnels se doivent d'être structurés pour traiter avec les informateurs. Ainsi, il est important que le personnel soit sensibilisé à ce phénomène et que le sujet soit abordé substantiellement dans les cours de formation. De plus, les politiques et directives de l'organisation doivent traiter de l'attitude à adopter, que ce soit avec des informateurs ou des délateurs, ainsi que des méthodes de négociation et de la marge de manœuvre permise.

Comment doit-on aborder ces délinquants particuliers? Quelles mise en garde faut-il leur adresser, s'il en est? Comment évaluer leur crédibilité? Comment traiter leurs demandes? Y a-t-il des concessions possibles? Quelles précautions faut-il prendre avec ces individus? Dans quel contexte, par qui et en présence de qui les entrevues doivent-elles avoir lieu? Comment doit-on encadrer et protéger les délateurs? Quel contrôle faut-il exercer sur eux? Qui est fondé de pouvoir pour des engagements avec ces détenus? Quelles sont les considérations légales dont il faut tenir compte? Devrait-on lier les deux parties par un contrat formel? En l'absence de réponses à ces questions et sans ligne de conduite précise, les employés sont vulnérables puisqu'ils n'ont d'autre choix que de prendre des initiatives personnelles ne correspondant pas nécessairement aux intérêts de leur organisation.

Dans la plupart des établissements carcéraux, il y a bien un fonctionnaire responsable de recueillir, analyser et partager les informations reçues de toutes parts. C'est cet agent de renseignements et d'enquêtes qui doit normalement traiter avec les délateurs. Toutefois, ces derniers ne sont pas toujours disposés à rencontrer un fonctionnaire qu'ils connaissent très peu. Il est définitivement plus facile de parler de sujets délicats aux personnes avec qui un bon contact est déjà établi et qui sont facilement accessibles. Donc, presque tous les employés correctionnels sont susceptibles de recevoir, un jour ou l'autre, les délations d'un détenu.

Mis à part ces types qui viennent d'eux-mêmes confier des renseignements sur des codétenus, l'autre façon d'obtenir des confidences sur les activités illicites de l'un ou l'autre est de recruter des informateurs bien au fait de tout ce qui les entoure. Il s'agit là d'une tâche qui incombe normalement à l'agent de renseignements et d'enquête que nous avons mentionné précédemment. Toutefois, sa charge de travail et ses liens impersonnels avec la population carcérale ne facilitent guère son travail. Il est donc raisonnable que les employés estimant être en meilleure position pour faire parler des délinquants tentent une approche en ce sens. De plus, chacun aime bien revendiquer le mérite d'avoir pu soutirer les renseignements qui ont permis de mettre fin à des projets ou des activités illicites. Il n'est donc pas étonnant qu'un certain nombre d'employés correctionnels tentent plus ou moins subtilement de recruter des informateurs. Quelques-uns considèrent que la relation secrète s'établissant avec ces individus est stimulante et captivante. D'ailleurs, grande est la sensation du pouvoir lorsqu'on est seul ou presque à détenir des informations permettant de transformer le cours des événements à venir, particulièrement lorsque des vies sont en jeu. D'autres recherchent continuellement l'occasion de se mettre en valeur, tout en espérant gagner davantage l'estime de leurs supérieurs. Pour d'autres enfin, il ne s'agit que d'une question de sécurité personnelle et d'un désir intense de démanteler l'organisation des détenus.

Malgré toute la bonne volonté qu'un membre du personnel peut démontrer en transigeant avec un informateur et aussi légitime que puissent être les motifs qui l'incitent à agir de la sorte, il s'aventure néanmoins dans une voie périlleuse où les pièges sont nombreux. En tentant de mettre à jour un complot d'envergure, l'investigateur découvre petit à petit des éléments à la fois intéressants et incriminants, ce qui alimente un enthousiasme parfois trop exubérant et mal contrôlé.

Ce phénomène est particulièrement observable chez le personnel peu expérimenté avec les informateurs. Lorsque c'est le cas, le fonctionnaire a tendance à se dédier entièrement à son enquête au détriment des autres tâches auxquelles il doit aussi se consacrer. Obnubilé par cette cause qui lui tient à coeur, son jugement devient subjectif et il risque de commettre de nombreuses erreurs dans ses négociations avec le détenu. L'approche et les pourparlers des enquêteurs ou des agents de correction avec des informateurs doivent donc nécessairement respecter certaines règles de conduite que nous tenterons d'énoncer dans les prochaines pages. Celui qui ne respecte pas le protocole et les méthodes de travail reconnues développe inévitablement des initiatives clandestines qui font de lui un personnage facile à exploiter, susceptible de poser des actes illégaux, et dangereux au sein de l'organisation.

Des règles à observer

Un choix personnel

Le premier principe auquel on doit s'attarder est le volontariat. Lorsqu'un individu se présente de lui-même pour dénoncer des pairs qui ont commis ou commettront vraisemblablement des actes illégaux, on peut présumer assurément qu'il agit librement et de son propre chef. Toutefois, les illusions candides sur son rôle de délateur ou sur les avantages qu'il croyait obtenir peuvent s'estomper rapidement après qu'il ait été sensibilisé à ce qui l'attend réellement. Lorsque les explications d'usage sont complétées et avant que le sujet ne dévoile ses secrets, il y a lieu de s'assurer à nouveau qu'il est toujours disposé à révéler ce qu'il sait, mais en fonction des règles expliquées. À différents moments au cours de son témoignage, il pourrait être bénéfique de lui signifier qu'il agit de son propre gré. Ce rappel a pour but de laisser sentir que les autorités correctionnelles sont indépendantes et qu'elles n'ont pas un besoin absolu de ces informations. De son côté, le détenu qui livre ses confidences a certes un but en tête et normalement, à chaque rappel, il devrait s'efforcer de rehausser sa crédibilité de façon à intéresser davantage ses interlocuteurs.

Pour les informateurs que l'on tente de recruter, la tâche n'est toutefois pas toujours aussi simple. D'abord, il ne faut pas recruter sans discernement. Les meilleurs informateurs sont évidemment ceux ayant gagné la confiance des caïds de l'établissement et pouvant faire partie de leur entourage immédiat ou qui, d'une certaine façon, sont impliqués eux-mêmes dans les activités illicites. Ces individus qui sont prêts à renier leurs acolytes ou même à changer de camp pour aller du côté des autorités ne sont certes pas nombreux. Il y a toutefois des périodes propices pour recruter ces individus. Idéalement, il faut profiter du moment où leur gloire est en déclin ou en période de crise. Des circonstances favorables pourraient être, par exemple : l'accumulation d'importantes dettes, la perte d'alliés fiables, la présence d'antagonistes influents et redoutables, le sentiment d'avoir été trahi par son entourage, des préoccupations familiales, le fait d'avoir frôlé de près la mort ou simplement la saturation d'une vie criminelle et le désir de connaître enfin une vie plus ordonnée, moins périlleuse, et surtout, libre.

L'enquêteur ou l'employé qui tentent de recruter un informateur doivent se montrer patients et indépendants. En aucun cas, ils ne doivent brusquer leur candidat, car la décision de faire le saut final doit émaner de celui-ci. Lorsque ce sera le cas, le délinquant devra se sentir en confiance et respecter son interlocuteur, d'où la nécessité d'agir avec circonspection et honnêteté. L'agent de la paix doit être perçu comme la ressource capable de venir en aide au malheureux qui est aux prises avec ses problèmes. Il est donc important de laisser miroiter des avantages qui toucheront la sensibilité du sujet telles : la stabilité et la sécurité de sa famille, une vie paisible sans crainte d'être agressé ou arrêté, la satisfaction d'attaquer légitimement et légalement ses adversaires ou encore l'occasion d'accroître sa crédibilité en faisant preuve de bonne volonté tout en s'engageant dans une voie ne permettant pas vraiment de retour en arrière.

On doit évidemment déployer beaucoup de ruse et d'adresse pour convaincre un éventuel délateur. Il faut parfois propager le message et attendre longtemps avant que le sujet ait décanté ses idées et manifesté l'intention de révéler ses informations. Quelle que soit la méthode ou les propos utilisés, le délinquant doit éprouver la satisfaction d'agir pour lui-même et non pour les autorités. Il faut l'amener à réaliser qu'il sera gagnant en étant libéré de certains problèmes et qu'il connaîtra une existence nouvelle correspondant à ses objectifs de vie. Sa collaboration lui procurera probablement certains avantages ou privilèges que les autorités consentiront en cours de négociations mais, si attrayants que puissent être ces bénéfices, il est toujours préférable de mettre l'emphase sur le bien-être et la délivrance que ses nouvelles dispositions sont susceptibles d'entraîner dans sa vie intime. Un tel portrait est juste en plus d'inciter le détenu à poursuivre jusqu'au bout sa démarche de collaboration sans quoi il sera perdant, non seulement sur des aspects subsidiaires, mais aussi sur le plan personnel.

Bien entendu, le fonctionnaire qui tente d'attirer un délinquant à défier la loi du milieu se doit de toujours être honnête et réaliste dans son argumentation. En embellissant à outrance la situation ou en laissant poindre des avantages sur lesquels il n'exerce pas vraiment de contrôle, il risque de perdre la confiance et le respect du délinquant. Les événements doivent se dérouler conformément au scénario préétabli et les engagements qui ont été conclus au départ doivent être respectés.

Dans certaines situations spécifiques où on cherche, par exemple, l'auteur d'un meurtre dont plusieurs individus ont été témoins, mais au sujet duquel personne ne veut parler, il est parfois profitable d'exercer un peu de pression sur le groupe en créant une ambiance lourde et inconfortable. À cet égard, la privation d'activités, les fouilles minutieuses et les privilèges restreints sont des moyens par excellence. Après quelque temps à subir ce climat restrictif, la solidarité risque de s'effriter et lors d'interrogatoires serrés avec tous les témoins potentiels, le responsable fléchira peut-être sous la pression du groupe et avouera son crime. Une autre possibilité est qu'un ou plusieurs détenus exaspérés dénoncent le coupable. En se comportant de la sorte, il est toutefois possible que le détenu acceptant de collaborer avec les autorisés n'agisse pas de plein gré. Un sujet qui cède à la pression de ses pairs peut être forcé d'avouer un crime qu'il n'a pas commis. Si on est plutôt en présence d'un informateur, celui-ci a peut être décidé de dénoncer un innocent dans le but de rétablir des conditions de détention plus favorables.

Un stratagème utilisé plus couramment pour obtenir les délations souhaitées consiste à coincer un individu bien informé, en sachant qu'il a commis des actes répréhensibles, susceptibles d'entraîner une condamnation sévère, de retarder son éventuelle remise en liberté ou encore de lui faire perdre d'intéressants privilèges. En étant confronté à une preuve irréfutable, il pourrait alors être tenté d'offrir sa collaboration pour aider l'enquêteur à réaliser un coup de filet d'envergure. Lorsque cette proposition émane du délinquant lui-même, on se retrouve en position de force puisque nous avons la liberté de choix et d'action. L'informateur est alors dépendant des autorités et il souhaite conserver les bonnes grâces de ses interlocuteurs.

Si au contraire, on fait étalage de la preuve cumulée contre lui et qu'on lui offre un assouplissement des conséquences possibles en échange de sa collaboration, on se place en position plus vulnérable. Le délinquant peut alors comprendre que les autorités ont davantage besoin de lui que l'inverse, ce qui ouvre la porte à la manipulation. De plus, cette approche qui s'apparente au chantage nous laisse douter fortement des pouvoirs dont pourraient s'accaparer certains individus exerçant un rôle d'autorité. Nos appréhensions sont encore plus vives lorsque le délinquant, en commettant ses actes répréhensibles, est tombé dans un piège tissé de toutes pièces par ceux-là mêmes qui lui offrent maintenant d'échapper aux sanctions en devenant collaborateur. Le fait d'être au service de la justice et d'avoir pour tâche de lutter contre les criminels et ceux qui menacent l'ordre public n'accorde pas pour autant la liberté d'enfreindre les lois, règlements et directives auxquels nous devons nous soumettre. La légitimité des objectifs poursuivis ne justifie donc pas le recours à des méthodes arbitraires. Les procès impliquant des délateurs et qui sont déboutées en cour pour cause de maladresse ou d'irrégularités commises par des représentants de l'ordre jettent le discrédit sur toute l'organisation pourtant vouée à la saine administration de la justice pénale et qui doit, en principe, prêcher par l'exemple.

Une fois que le processus de transmission d'information est bien engagé entre un délinquant et l'enquêteur, ce dernier peut, à un certain moment, s'impatienter du fait qu'aucun développement ne survient. Il croit à tort ou à raison que son informateur se rebelle alors que tout semblait si prometteur au début. Exaspéré par la tournure des événements et désireux de mener à terme son enquête, il peut adopter une attitude menaçante à l'égard de son sujet et exercer des pressions indues pour obtenir de nouveaux renseignements. Or, une telle attitude peut avoir pour conséquence d'effriter la relation de confiance qui s'était établie ou même inciter le délateur à raconter des histoires fondées sur des suppositions ou qui sortent purement de son imagination. Il peut être embarrassant ou inquiétant pour un sujet collaborant avec les autorités de n'avoir plus rien à dire puisqu'il a atteint la limite de ses connaissances. Il faut donc demeurer sensible à cette réalité et ne pas passer outre la liberté ou la capacité d'un individu de divulguer des informations, sans quoi on risque d'être entraîné sur une fausse piste.

Finalement, lorsque l'enquête est complétée et que l'informateur ou le délateur s'est montré fiable, il peut être tentant de le solliciter à nouveau pour une autre cause. En pareil cas, il vaut mieux ne pas tenir pour acquise la collaboration du délinquant. Les cibles visées par l'enquête ou la nature des informations qui devront être divulguées peuvent influer sur la volonté du sujet de partager ses secrets. Le cas échéant, il faudra reprendre le travail de persuasion tout en respectant la décision finale du principal intéressé.

Un objectif clair, précis et légitime

En plus de s'assurer que l'informateur agit de manière libre et volontaire, il faut sincèrement lui faire part du but visé par notre démarche. Que l'on veuille mettre fin aux activités d'un individu en particulier ou d'une organisation entière, le délateur doit le savoir dès le début, dans la mesure du possible. Ainsi, on fait preuve de respect et d'un minimum de confiance, ce qui nous attirera probablement des sentiments réciproques de la part du délinquant. Bien sûr, nous n'avons pas à lui divulguer les détails de l'enquête ou la somme d'informations que nous possédons par crainte d'une quelconque indiscrétion, mais nous croyons néanmoins important de lui communiquer nos attentes et objectifs à son égard.

Ces objectifs doivent toutefois être conformes aux intérêts et à la vocation de l'organisation. Certains membres du personnel peuvent parfois s'attribuer des responsabilités que leurs superviseurs ne sont pas nécessairement prêts à leur accorder. Dans le milieu carcéral où la sécurité de tous dépend de l'intégrité de chacun, on retrouve toujours des employés qui font la chasse aux moutons noirs. Qu'un fonctionnaire ait une personnalité marginale par rapport à ses confrères et consœurs ou qu'il semble trop apprécié par les détenus, et déjà il fait l'objet de soupçons de la part de ses dénigreurs. Dans le but d'appuyer leurs présomptions, ceux-ci peuvent donc faire appel à des délateurs pour enquêter les activités de leur collègue. Une telle pratique a toutefois pour conséquence de miner le climat de travail et l'esprit d'équipe. Une situation analogue s'est déjà produite où un membre du personnel questionnait avec intérêt un détenu sur les agissements d'un autre employé. Ce détenu qui acceptait de répondre aux questions de son interlocuteur collaborait également avec le fonctionnaire suspecté. Naturellement, ce dernier n'a pas tardé à apprendre les doutes et les ragots qui circulaient à son sujet. On imagine sans peine la suite des événements lorsque les deux employés se sont rencontrés. Les détenus sont très habiles pour semer la discorde et exploiter les mésententes parmi le personnel, faut-il le rappeler? Les enquêtes sur des employés sont généralement fort délicates à cause du tort considérable qu'elles peuvent occasionner aux individus et à l'organisation dans son ensemble. Lorsque nécessaire, ces investigations doivent être approuvées par les membres de la direction et faire l'objet d'un suivi étroit. Aussitôt que l'on soupçonne une activité criminelle, il y a lieu d'impliquer le corps policier compétent qui doit se charger de l'enquête.

Une autre façon d'utiliser des informateurs ou des renseignements privilégiés d'une manière inconvenante et contraire à l'éthique professionnelle consiste à servir des objectifs personnels et distincts de ceux de l'organisation. Ainsi, des employés correctionnels peuvent être tentés de fournir des informations obtenues grâce à leur travail auprès des détenus à des organismes externes tels des compagnies d'assurance, de crédit ou des corps policiers. Ces initiatives personnelles sont des bris de confidentialité et vont à l'encontre des lois sur la protection des renseignements personnels, nonobstant le fait que les renseignements serviront dans un but légitime, à des organisations qui ont des pouvoirs d'enquête reconnus. Certaines règles ou protocoles d'entente stipulent les procédures à suivre et la nature des informations qui peuvent être communiquées officiellement d'un organisme à l'autre. Les initiatives personnelles ou le partage d'informations non autorisé constituent des abus de confiance, ce qui est répréhensible en soi, et causent un tort non négligeable à l'ensemble de l'organisation.

Les deux côtés de la médaille

Une autre règle à respecter lorsqu'on transige avec des délateurs consiste à informer ceux-ci sur les avantages et les risques qu'ils encourent en rompant avec la « loi du milieu » et à les renseigner sur l'aide et la protection qui leur seront offertes. Le délinquant qui a l'intention de collaborer avec les autorités est généralement préoccupé par les motifs qui l'incitent à agir de la sorte et, probablement par manque d'expérience, il oublie de considérer tous les dangers auxquels il s'expose. Le fait d'être délateur et ensuite de devoir possiblement témoigner en cour entraîne inévitablement des répercussions sur le style de vie. Il ne faut pas croire que les organisations criminelles ou les individus dénoncés ne tenteront aucune mesure de représailles ou d'intimidation contre celui qui les dénonce. Même si l'identité de l'informateur peut être préservée, il faut s'attendre à ce que celui-ci soit l'objet d'intenses recherches, particulièrement en milieu carcéral où il n'est pas facile de se cacher ou d'échapper à ses poursuivants. Une attitude trop protectrice des autorités à l'égard d'un détenu, risque d'éveiller des soupçons suffisants pour attirer les foudres des prédateurs qui condamnent sans discernement. Les cas de délinquants qui ont été tués ou battus sauvagement par erreur parce qu'ils ont été pressentis comme étant des traîtres ne sont pas rares.

Le délateur s'expose donc à des dangers considérables. Il vaut mieux le prévenir au début plutôt que de le laisser découvrir ces risques en cours d'enquête et ainsi compromettre sa collaboration. Du même coup, il est tout à fait opportun d'informer le délateur des mesures qui seront prises pour garantir sa sécurité et celle de ses proches, s'il y a lieu. L'attitude qu'il devra adopter, le discours qu'il tiendra et les démarches à effectuer auprès des détenus doivent lui être expliqués clairement et honnêtement. Le protocole à suivre lors des rencontres éventuelles avec l'enquêteur doit également lui être enseigné avec minutie.

Il est donc souhaitable de toujours prévoir des solutions pour faire face à diverses situations imprévues qui pourraient survenir. Meilleure sera l'organisation à la base de l'enquête et plus grande sera la confiance du sujet à l'égard de ceux qui ont consenti à l'aider et le protéger en échange de ses informations.

Un engagement dans le droit chemin

Un délateur vraiment sincère dans sa démarche et collaborant avec les autorités pour le bénéfice de l'ordre et de la justice se doit d'être cohérent avec lui-même en abandonnant du même coup sa carrière criminelle. Généralement, un individu qui accepte de dénoncer des pairs délinquants ou des codétenus s'expose à différentes formes de représailles pouvant aller jusqu'à l'homicide et ce, plus particulièrement s'il doit témoigner en cour. Ces délinquants ne peuvent donc se permettre de revenir derrière les barreaux ou d'étirer stupidement leur sentence, en raison des risques qu'ils encourent advenant le cas où ils seraient démasqués. Les fonctionnaires, au même titre que les policiers traitant avec un délateur se doivent donc d'être clairs à cet égard. Si certains avantages peuvent parfois être consentis en échange des renseignements que détient un individu, il en est tout autrement s'il récidive après s'être formellement engagé à collaborer avec les autorités. En tant que composante du système de justice pénale, les services correctionnels ne peuvent demeurer impassibles face à un délinquant qui commet délibérément et secrètement de nouveaux délits ou même de simples infractions disciplinaires à l'intérieur de l'établissement de détention. L'inertie d'un agent de la paix en pareille situation constitue une forme de complicité par omission.

Dans le cadre de certaines enquêtes, particulièrement dans les milieux policiers, où il s'avère nécessaire d'avoir recours à l'infiltration pour accumuler des preuves et lorsqu'il n'y a pas d'autres possibilités que d'utiliser le délateur comme agent double, il faut exercer un contrôle très étroit de ses allées et venues ainsi que des activités et tractations qu'il maintient avec le ou les sujets visés par l'enquête. Ce contrôle est essentiel tant pour la sécurité du délateur que pour s'assurer qu'il demeure honnête dans ses intentions et qu'il respecte minutieusement la stratégie et les consignes qui lui ont été édictées.

Les ententes prises avec un délinquant et visant à lui procurer certains bénéfices doivent être remises en question lorsque celui-ci n'a pas respecté ses engagements. Au profit d'une enquête progressant bien et promettant des résultats inespérés, un enquêteur peut être grandement tenté de fermer les yeux ou de minimiser l'importance de l'écart de conduite de son délateur. Bien que l'on puisse comprendre l'ambition et la déception du fonctionnaire dans ces circonstances, toute décision émotive ou complaisante ne ferait que nuire à une saine continuation de l'enquête. La crédibilité et l'image de l'organisation risqueraient d'être dépréciées ainsi que la sincérité de l'éventuel témoignage du délateur devant une cour de justice. Afin de ne pas être confronté à ce genre de situation, un certain nombre de corps policiers font maintenant signer aux délateurs une confession dans laquelle ils déclarent tous leurs crimes passés et pour lesquels ils n'ont pas été condamnés. Du même coup, ils s'engagent à être respectueux des lois sans quoi toute récidive met fin à l'entente prise entre les deux parties. De son côté, si le policier ne respecte pas sa partie du contrat, il commet une faute professionnelle grave. L'honnêteté d'un délateur ayant un passé criminel chargé peut facilement être remise en question par différentes instances administratives et juridiques, d'où l'importance d'établir des ententes claires, ou si possible, un contrat formel précisant tous les aspects négociés entre les deux parties. En agissant avec autant de transparence, on réduit grandement les risques d'être débouté en cour, tout en limitant l'argumentation des détracteurs de ces méthodes d'enquête.

Finalement, il n'est pas rare que des délinquants délateurs vivent de graves problèmes personnels et qu'ils aient de la difficulté à abandonner leurs activités criminelles. Les pressions de leur environnement, leur dépendance toxicomaniaque, leurs tracas financiers ou tout autre fardeau insupportable risquent éventuellement d'entraîner une rechute lourde de conséquence. L'enquêteur doit donc être sensible aux difficultés que peut vivre le délinquant en lui offrant toute l'aide et le support qu'exige sa condition.

Découvrir le pourquoi

Lorsqu'un criminel consent à dénoncer des individus impliqués dans des activités illégales et qu'il s'expose du même coup à d'éventuelles représailles, ce n'est certainement pas dans le but de plaire au représentant de la loi qui est devant lui. L'enquêteur composant avec un délateur se doit absolument de découvrir les motivations qui poussent celui-ci à livrer des pairs délinquants. En connaissant ses arrière-pensées, il est beaucoup plus facile par la suite d'évaluer la crédibilité de ses propos.

En fait, les raisons qui incitent un délateur à se confier aux autorités ne sont pas si nombreuses, nous en avons relevé cinq :

1. Pour marchander

Il s'agit certainement du motif le plus répandu. Nombreux sont les délinquants qui cherchent à obtenir des avantages en échange de leurs informations. Ces avantages sont aussi multiples que variés. Il peut entre autres s'agir d'argent, du retrait de certaines accusations, d'un allégement de sentence, d'une libération conditionnelle, d'un transfèrement vers un autre établissement carcéral ou même de cigarettes, ce qui constitue une monnaie d'échange très populaire parmi les détenus.

Tous ces individus qui parlent aux autorités pour un quelconque gain ne sont fiables que dans une faible proportion, à moins bien entendu qu'ils aient beaucoup à perdre. En fait, comment peut-on faire confiance à celui que l'on paye, alors que dans quelque temps, il trouvera peut-être un meilleur prix pour ses services, qu'ils soient honnêtes ou malhonnêtes. Un phénomène fréquent et significatif avec ces types qui cherchent à obtenir un bénéfice est leur insistance pour recevoir en partie ou en tota-lité la récompense anticipée et ce, avant même qu'ils aient confié en substance les informations qu'ils détiennent. Il est tellement facile de se faire leurrer par des manipulateurs multipliant les promesses et laissant croire qu'ils disposent de renseignements tant convoités par les autorités. Il ne faut donc pas céder à la tentation de rétribuer si modestement soit-il, un individu qui n'a encore rien révélé ou qui s'est contenté de raconter des faits généraux, imprécis et déjà connus. Au risque de se répéter, rappelons l'importance d'afficher une attitude indépendante. Le délinquant a davantage besoin de nos ressources que nous avons besoin de lui. S'il est sérieux et sincère dans sa démarche, il n'a pas vraiment d'autre choix que de collaborer franchement avec l'enquêteur. Par contre, si l'enquêteur est insatisfait, il peut toujours tenter de recruter un autre informateur.

Plusieurs membres du personnel thérapeutique responsables du dossier des détenus informateurs réagissent vivement lorsqu'ils apprennent souvent après coup, que le délinquant sous leur responsabilité a réussi à obtenir des privilèges spéciaux sans devoir se soumettre aux objectifs de cheminement personnel, fixés dans le cadre de son programme de réhabilitation.

C'est tout à fait caractéristique de la personnalité criminelle que de tenter continuellement et par tous les moyens d'échapper aux contrôles imposés par les autorités. Un programme de traitement quelconque exige du temps, des efforts et de la volonté que tous les détenus ne sont pas nécessairement disposés à fournir. La tentation de devenir un informateur d'occasion peut alors être grande. Dans certains cas, ces informateurs ne disposent pas de renseignements concrets et ils ne viennent qu'étaler leurs présomptions, ce qui oriente les enquêteurs sur des pistes non fondées. Les employés qui traitent avec des informateurs doivent donc être conscients de cette facette du travail clinique. Autant que possible, une bonne communication et un climat de confiance devraient se développer entre le personnel thérapeutique qui gère le cheminement des détenus et les enquêteurs qui négocient avec les informateurs ou les délateurs. Ainsi, lorsqu'un détenu manifestera son intérêt à collaborer avec les autorités, il sera possible de partager un minimum d'informations entre tout le personnel impliqué, ce qui permettra d'éviter des frustrations et un cloisonnement néfaste entre les différents groupes d'employés.

Finalement, lorsqu'on accepte de transiger avec un informateur, il faut s'assurer du « prix à payer », par qui, et à quel moment. Une fois ces faits bien établis entre les deux parties, il est préférable de respecter rigoureusement l'entente en ne cédant pas aux pressions ou au chantage pour revoir à la hausse les avantages promis.

2. Par peur

Pour d'autres informateurs, l'intérêt à parler est motivé par la peur. Après avoir été l'objet de menaces ou victime d'un attentat qui a échoué, l'individu qui craint pour sa vie choisit parfois de se ranger du côté des forces de l'ordre afin d'être protégé, tout en espérant que ses pourchasseurs soient arrêtés sans délai. Également, sans être une cible spécifique, certains détenus peuvent savoir qu'un incident grave se planifie et ils en craignent les conséquences. Qu'il s'agisse d'un assaut sur le personnel, d'un incendie criminel, d'une émeute ou de tout autre trouble majeur, les autorités sont heureusement prévenues à l'avance dans bien des cas, par des détenus craignant les répercussions sur leur propre sécurité ou qui anticipent une vive réaction des dirigeants, qui pourraient alors restreindre leurs activités ou prendre d'autres mesures visant à réduire davantage leur liberté résiduelle.

On se doute bien que les renseignements émanant d'informateurs apeurés et qui ne sollicitent aucun avantage en échange de leurs services sont généralement dignes de confiance. Toutefois, un certain nombre de délinquants inquiets, qui ont tendance à exagérer ou à mal interpréter les événements et les indices qui sont à leur portée, peuvent induire le personnel en erreur. Il faut donc beaucoup de circonspection de la part des employés qui reçoivent, quelquefois de manière impromptue, de telles confidences dramatiques. Il est parfois facile en milieu carcéral d'exploiter les inquiétudes des fonctionnaires et de véhiculer des propos non fondés. Il arrive même à l'occasion que le syndicat des employés tombe dans ce piège et tente ensuite d'exploiter à son avantage des rumeurs alarmistes.

3. Pour l'image

Bon nombre de personnes incarcérées cherchent à projeter une image exagérée d'eux-mêmes, espérant du même coup faire bonne impression sur le personnel qui recommandera éventuellement l'octroi de privilèges ou même une libération conditionnelle. On cherche donc à jouer le jeu du repenti qui est maintenant débordant de bonne volonté et qui a rompu avec le monde criminel. Pour ajouter plus de crédibilité à ce scénario, certains iront même jusqu'à dénoncer ceux qui s'impliquent dans des activités illicites.

Ces types qui cherchent à vanter leurs mérites en se présentant sous un jour différent de ce qu'ils sont en réalité ont tout aussi tendance à exagérer la véracité des informations qu'ils divulguent. Étant encore fidèles à leurs groupes d'appartenance, ils n'ont pas changé leur style de vie et s'adonnent toujours à diverses magouilles, tout en démontrant un pseudo-conformisme lorsqu'ils viennent confier des renseignements. Les secrets qu'ils partagent sont, dans bien des cas, peu compromettants puisque les individus et les faits qu'ils mettent en cause sont déjà connus. Dans d'autres cas, à partir de faits véridiques, ils imaginent une histoire fabuleuse à laquelle il est impossible de donner suite.

Quelques détenus encore plus retors jouent également un double jeu en communiquant des informations aux employés correctionnels dans le seul but d'orienter ceux-ci contre des trafiquants ou autres types d'exploiteurs et ainsi éliminer la concurrence. Par la suite, ils profitent d'un plus grand champ d'action pour leurs propres activités illicites. En divulguant des renseignements justes et précis, ces détenus font donc en sorte que leurs rivaux soient neutralisés et possiblement transférés dans un autre établissement de détention. Du même coup, ils gagnent la confiance de leurs gardiens qui, pour ne pas irriter inutilement ces collaborateurs qui permettent la réalisation de beaux coups de filet, relâchent la surveillance et les fouilles à leur égard. De plus, si un membre du personnel ose leur reprocher leur comportement louche et leurs fréquentations de criminels d'envergure, ils réaffirment aussitôt leur bonne volonté en précisant qu'ils cherchent à obtenir de nouvelles informations à transmettre aux autorités.

Ces détenus sont très habiles pour manipuler les fonctionnaires qui se laissent berner par des apparences trompeuses et qui ne contrôlent pas suffisamment les actions et les propos de leurs informateurs.

4. Par vengeance

La vengeance est un autre motif qui peut inciter un individu à dénoncer le ou les auteurs d'un crime. Le partage inéquitable d'un butin, le non respect d'un engagement, une amitié ou une association gênantes, une conduite ou des propos choquants sont autant de raisons qui décident un délinquant à se venger d'un pair devenu indésirable.

Les délations recueillies auprès de ces individus sont généralement pertinentes et suffisamment étayées pour permettre une intervention efficace des forces de l'ordre. Une dénonciation trop intéressée peut toutefois s'avérer trompeuse lorsque les faits ont été exagérés pour provoquer une offensive musclée des autorités. Il faut aussi prendre garde de devenir l'instrument des criminels qui cherchent à régler leurs comptes. En mettant le grappin sur un individu influent ou sur une bande de criminels toute entière, on réussit certainement à résoudre quelques dossiers d'enquête mais, du même coup, on risque aussi de servir les intérêts d'un délinquant ou d'une organisation en pleine expansion qui cherche à étendre son influence et sa domination sur un plus grand nombre d'individus. Involontairement, nous pouvons donc provoquer une rupture des rapports de force dans le milieu du crime en procurant à ces individus ou groupements criminels les atouts nécessaires pour nous causer davantage de problèmes, tout en fortifiant leur propre organisation.

5. *Pour le principe*

Devant la sauvagerie et la lâcheté de certains crimes, il nous est parfois impossible de réprimer le dégoût et la révolte que ces actes nous inspirent. La population carcérale ne réagit pas différemment lorsque de tels incidents surviennent à l'intérieur des centres de détention. Malgré leur schème de valeurs, si élastique soit-il, les criminels ne peuvent accepter que certaines limites soient franchies. Or, lorsque c'est le cas, certains détenus défient la fameuse loi du silence qui fait partie de la sous-culture carcérale. Ils acceptent alors de collaborer avec les enquêteurs afin de faire la lumière sur les événements crapuleux qu'ils désapprouvent ainsi que sur les auteurs de ces actes. En échange de leurs services, ils ne sollicitent aucune faveur particulière. Leur seul but est de s'assurer d'un certain équilibre des forces en présence et du respect d'un code de vie empreint des valeurs délinquantes certes, mais qui ne permet pas le débordement de limites situées quelque part entre la vertu et l'infamie.

Une crédibilité à bâtir

Un autre principe très important à respecter lorsqu'on traite avec des informateurs est d'évaluer leur crédibilité ou la fiabilité de leurs informations. Un indicateur plutôt fiable consiste à déterminer, tel que nous venons de le voir, le motif qui incite le détenu à collaborer avec les autorités. Qu'a-t-il à gagner ou à perdre et quels sont ses sentiments profonds?

Un autre élément à ne pas négliger est l'origine des informations. Comment, de qui, et dans quelles circonstances le délateur a-t-il obtenu ses informations? Est-il lui-même complice dans les activités illégales qu'il dénonce ou rapporte-t-il les confidences qu'il a recueillies à la dérobée? Dans cette dernière éventualité, il faut évaluer minutieusement la véracité des renseignements, car en milieu carcéral, où la méfiance est grande parmi les détenus, plusieurs subissent sans le savoir une épreuve de confiance visant à vérifier leur mutisme face aux autorités. Ainsi, ils se voient confier de fausses vérités qui, une fois connues des forces de l'ordre, entraînent normalement des actions ou des interventions remarquées par les détenus. Une réponse inappropriée ou prématurée des dirigeants peut donc tourner en dérision les efforts du personnel, tout en créant de fâcheuses conséquences pour celui qui a fait preuve d'indiscrétion.

Les informations transmises par les délinquants gagnent également en crédibilité lorsqu'elles peuvent être mises en corrélation avec d'autres renseignements ou observations provenant de sources variées. Autant que possible, il est donc préférable de ne prendre aucune action prématurée en se basant uniquement sur les propos d'un seul informateur. Nous avons déjà eu connaissance de certains cas où des pseudo-informateurs feignaient de collaborer ouvertement alors qu'en réalité, leur but était de tromper les enquêteurs en les dirigeant sur de fausses pistes. Pour les mêmes raisons, il vaut mieux prendre avec réserve les informations provenant de sources anonymes.

Un autre indice nous permettant d'évaluer la crédibilité d'un informateur consiste à se référer à la justesse et la qualité des informations qu'il a déjà transmises dans le passé et qui ont pu être vérifiées. Chaque informateur devrait donc se voir attribuer une cote de fiabilité pouvant servir de référence, advenant le cas où il accepterait de collaborer à nouveau.

Finalement, l'analyse des attitudes observées au cours des entrevues ainsi que les impressions générales de l'enquêteur lui permettent de compléter son appréciation de l'informateur. Il suffit par exemple d'évaluer la facilité pour l'informateur de répondre à des questions d'ordre personnel ayant un rapport avec le sujet de l'enquête; de considérer sa transparence, particulièrement en ce qui concerne sa propre implication dans des activités illicites; de juger de la cohérence, de la précision et de la consistance de ses propos, surtout lorsque les questions sont reformulées; et enfin, de jauger son assurance lorsqu'il est confronté.

Des limites bien définies

Bon nombre de délinquants croient à tort que le fonctionnaire qui écoute leurs confidences peut, en tant que figure d'autorité, se permettre d'accorder des privilèges spéciaux et d'appliquer les lois et règlements avec souplesse pour les cas jugés « exceptionnels ». Curieusement, certains membres du personnel véhiculent aussi cette fausse impression lorsqu'ils laissent entendre que les administrateurs des établissements carcéraux peuvent contourner certaines lois ou règlements. Or, même si la démarche est légitime et vise à rétablir l'ordre ou appliquer des notions de justice, les moyens à prendre doivent demeurer à l'intérieur du cadre juridique. S'il s'agit là d'un principe sur lequel la plupart des gens s'entendent, il n'en demeure pas moins qu'ils n'interprètent pas tous avec la même rigueur les lois et règlements. Certains peuvent avoir une vision flexible et accommodante des préceptes qu'ils doivent respecter.

Pourtant, ceux qui vont au-delà des limites reconnues risquent, le cas échéant, de provoquer le rejet de la cause devant les tribunaux, en plus de jeter un discrédit sur l'organisation toute entière. De plus, quand ils permettent un assouplissement ne devant pas être accordé normalement, ils s'exposent à d'éventuelles manipulations et sollicitations de la part des détenus.

Il est donc important d'être franc et honnête avec l'informateur qui offre sa collaboration aux autorités. Ainsi, il ne faut pas s'engager et faire des promesses sans être certain de pouvoir les honorer lorsque l'enquête sera complétée. Si le fonctionnaire n'a pas le pouvoir de prendre certaines décisions, il doit le communiquer à l'informateur avec qui il transige, tout en mentionnant qu'il s'engage, si c'est le cas, à faire les représentations nécessaires auprès de la personne responsable pour obtenir la réponse souhaitée.

Si la franchise du délateur est importante pour l'enquêteur qui cherche à solutionner des problèmes, il en est tout autant pour le délinquant qui accepte de prendre des risques. Les demandes ou les attentes de celui qui offre sa collaboration sont parfois considérables et déraisonnables par rapport à ce qui peut être consenti. Or, pour réaliser un coup d'éclat, l'employé qui se laisse emporter par son enthousiasme et son ambition a parfois tendance à laisser miroiter ou même à consentir des avantages alléchants, mais irréalistes à son informateur. Mieux vaut expliquer dès le départ les limites que les autorités ne pourront franchir et ainsi risquer de perdre une source d'information prometteuse, plutôt que de placer l'organisation dans un contexte où le délinquant pourra l'attaquer pour manquement à ses engagements.

Encore une fois, le fait d'être indépendant face à un informateur est probablement la meilleure attitude à adopter pour éviter toute forme d'endettement.

Un travail d'équipe bien encadré

Que ce soit la technique utilisée pour le recrutement, le contenu de la négociation ou le principe même de faire appel à des délateurs, il y aura toujours des gens pour contester cet aspect du travail d'enquête. Bien que les approches utilisées soient légales, elles sont néanmoins considérées à l'occasion comme étant immorales puisqu'elles accordent trop d'importance au criminel, tout en lui permettant bien souvent d'échapper, en partie ou en totalité, aux accusations ou aux sanctions qu'il encourt et ce, sans avoir effectué un cheminement personnel et une prise de conscience sur la voie de la réhabilitation. De plus, puisque les tractations se font dans un contexte de clandestinité, le contenu de celles-ci n'est pas transparent, ce qui laisse supposer que la justice n'est pas nécessairement équitable et que des faveurs injustifiées sont accordées selon l'humeur des intervenants.

Les pourparlers avec des informateurs présentent donc plusieurs dilemmes et exigent un certain doigté. Toutefois, il y a des limites à respecter et plusieurs questions à considérer. Ainsi, les individus qui ont accepté volontairement de collaborer avec les autorités avaient-ils vraiment la possibilité de choisir une autre option? Le sujet qui choisit de demeurer silencieux s'expose-t-il à une quelconque forme de représailles où à d'éventuelles accusations indues de la part de l'agent qui a tenté de le recruter? Comment peut-on évaluer la probité des agents recruteurs dans le travail qu'ils accomplissent? Quels avantages ou privilèges peuvent être accordés à un délateur? Jusqu'où peut-on accepter qu'un informateur compromette sa propre sécurité et quelle est la responsabilité des autorités?

Il s'agit là de questions tout à fait légitimes que le public en général et les administrateurs sont en droit de se poser. D'ailleurs, toutes les personnes qui ont recours à des délateurs dans leur travail d'enquête devraient avoir l'honnêteté intellectuelle de se remettre régulièrement en question et de discuter de leurs méthodes avec leur supérieur. La société évolue ainsi que le cadre juridique dans lequel nous travaillons. Certaines méthodes de travail autrefois acceptées peuvent être considérées abusives ou contraires aux droits et libertés des individus dans le contexte actuel. Ceux qui refusent d'évoluer se piègent parfois eux-mêmes en voulant bien faire. La situation est probablement analogue pour les policiers qui agissent en tant qu'agent double. L'employé pleinement engagé dans une cause et menant son enquête se convainc parfois trop rapidement que le sujet ciblé est coupable d'une quelconque activité criminelle. Conséquemment, il cherche alors à franchir trop rapidement les étapes lui permettant de bâtir sa preuve. Il craint, probablement à juste titre, qu'un événement fortuit vienne détruire son travail. En même temps, il anticipe le moment où il pourra savourer sa victoire sur le délinquant. Tous ces éléments combinés font en sorte qu'il peut précipiter les événements en fabriquant la preuve nécessaire pour aller en justice. Un tel abus constitue une faute très grave, non seulement dans le contexte où la cause sera entendue dans un tribunal extérieur, mais aussi dans le cadre du processus disciplinaire des détenus administré dans chaque établissement.

Il est donc essentiel que tout fonctionnaire développant des rapports avec un informateur n'agisse jamais dans la totale clandestinité. Ses méthodes de travail, le but de ses enquêtes ainsi que l'ensemble de ses actions et décisions doivent être contrôlées par son superviseur ou, du moins, un agent responsable des dossiers impliquant des informateurs. Le jugement de cette tierce personne qui n'est pas engagée directement dans les tractations ajoutera impartialité et circonspection au dossier, car l'employé directement impliqué peut, consciemment ou non, travailler à l'atteinte d'objectifs personnels différents de ceux de l'organisation. Emportés par des sentiments hostiles à l'égard de ceux à qui il livre bataille, il peut orienter son énergie contre un sujet ou un groupe d'individus alors qu'il faut plutôt lutter contre un fléau ou un problème particulier menaçant la sécurité et le bon ordre de l'établissement. C'est donc à son agent contrôleur de lui rappeler les objectifs de l'organisation et les lignes de conduite fixées par les dirigeants. Il serait même souhaitable que les entrevues avec les informateurs soient réalisées en présence d'un autre employé. Lorsque cela est impossible, on devrait envisager l'utilisation d'un magnétophone ou d'un magnétoscope pour enregistrer le témoignage du délinquant. Celui-ci doit toutefois être avisé de cette démarche qui vise à protéger les deux parties.

En travaillant isolément et sans contrôleur, le fonctionnaire s'investit d'un pouvoir considérable puisqu'il sera seul à connaître certains secrets mais, du même coup, il est vulnérable s'il prend de mauvaises décisions ou s'il est confronté à un type rusé et manipulateur.

Il serait souhaitable que tous les renseignements recueillis auprès d'informateurs et lors de différentes enquêtes soient toujours acheminés à un bureau central afin qu'un analyste compare, scrute, valide et partage l'ensemble des informations qui lui ont été transmises.

De cette façon, on évite que des individus profiteurs livrent les mêmes confidences simultanément à plusieurs enquêteurs. De plus, si chacun met en commun les bribes d'information qu'il possède, les enquêtes peuvent aboutir beaucoup plus rapidement et l'organisation toute entière n'en sera que plus efficace. La compétition entre employés menant des enquêtes n'est acceptable que s'il existe une entraide mutuelle entre chacun ainsi qu'un désir sincère de partager tous les renseignements.

Il ne faut absolument pas qu'un seul individu garde pour lui-même les renseignements d'ordre sécuritaire qu'il détient suite à des observations, des écoutes ou des confidences reçues. Il n'y a pas de situations ou d'événements si particuliers et délicats qui exigent le mutisme total et la conduite d'une enquête en solitaire. On n'a qu'à se souvenir de ce cas vécu relaté précédemment et qui a conduit à l'évasion d'un habile manipulateur ayant réussi à faire croire à une opération secrète dont il ne fallait souffler mot aux autorités du pénitencier. Crédules, les deux victimes dans cette histoire n'avaient pas osé se confier ou effectuer des vérifications plus poussées à d'autres paliers hiérarchiques.

L'histoire d'un policier[3] de la Gendarmerie royale du Canada qui œuvrait dans la section de lutte aux stupéfiants est également révélatrice à cet égard. Dans le cadre de ses enquêtes, ce policier a reçu des informations qu'il considérait nébuleuses de la *Drug Enforcement Administration* aux États-Unis. Profitant alors d'un séjour à Miami pour ses vacances personnelles, il apporte avec lui des documents de son dossier d'enquête et entreprend des recherches sur place à propos des questions qui le tracassent. Toutefois, il agit de son propre chef, sans aviser ses supérieurs de ses intentions. Aux États-Unis, il se fait piéger par la DEA qui n'apprécie guère l'initiative personnelle de ce policier canadien qui a, de surcroît, partagé candidement avec des personnes visées par l'enquête le rapport confidentiel que lui avait fait parvenir la DEA. L'agent de la Gendarmerie royale du Canada dut alors répondre à des accusations criminelles et subir des procès aux États-Unis et au Canada. Finalement, il ne sera trouvé coupable qu'en vertu d'une seule accusation soit, abus de confiance. Cette mésaventure lui valut néanmoins son emploi.

Encore ici, on constate qu'un fonctionnaire, probablement plein de bonne volonté, s'est aventuré seul dans une voie où les pièges sont nombreux. La lutte à la criminalité et aux criminels n'est pas le défi d'une seule personne et malgré les impératifs de confidentialité et de prudence qui caractérisent les enquêtes, il n'en est aucune qui justifie d'agir isolément sans rendre compte à qui que ce soit. Il n'est pas suffisant qu'un employé soit intègre et professionnel dans son travail, il faut également qu'il agisse en toute apparence d'honnêteté et de professionnalisme.

Un dossier documenté
Finalement, une dernière règle de conduite à respecter dans le cadre d'enquêtes délicates impliquant des délateurs est de consigner par écrit les ententes conclues, les informations recueillies, les actions prises ainsi que tout autre renseignement que l'on jugera à propos.

Le fait de bien documenter un dossier est certainement très utile pour des références ultérieures ou pour témoigner en cour, mais aussi pour justifier les décisions et le cheminement suivi lors de l'enquête. Comme nous l'avons mentionné précédemment, la probité des enquêteurs peut être remise en cause de même que le bien-fondé de certaines de leurs initiatives et, en ce sens, un dossier suffisamment étayé ferme la porte à plusieurs critiques et présomptions.

À propos des membres de la direction
Nous ne pouvons compléter ce chapitre sans aborder le contexte particulier dans lequel les membres de la direction des centres de détention négocient parfois avec certains caïds de la population carcérale.

---

[3] Van Rassel, Michael A., *Police Démontée, Les mésaventures d'un agent double de la GRC*, Les Éditions JCL 1991

De nos jours, il est de plus en plus difficile d'administrer un centre de détention, car il faut y gérer la décroissance économique, c'est-à-dire : les budgets réduits, les réductions de personnel, l'augmentation du nombre de détenus et de la double occupation cellulaire. On doit donc réussir à faire accepter certains ajustements parfois désagréables aux détenus.

De plus : lorsque la tension augmente, lorsque des rivalités s'établissent entre détenus, lorsqu'un nombre anormalement élevé de détenus sont battus et demandent la protection des autorités, lorsque les employés et leur syndicat mentionnent leurs craintes quant à leur propre sécurité, lorsque d'importantes quantités de drogue ou d'alcool frelaté circulent parmi les détenus ou lorsqu'il faut instaurer un nouveau règlement impopulaire, les administrateurs font appel au comité représentant l'ensemble des détenus ou aux individus ayant le plus d'influence pour faire passer leur message. Ces éléments forts de la population carcérale sont en mesure de soulever ou d'apaiser l'ensemble du groupe.

Dans nos sociétés démocratiques où les détenus ont des droits et des recours légaux pour contester le système carcéral, les administrateurs n'ont d'autre choix que de recourir à la négociation. Ignorer totalement les détenus dans la gestion d'une prison ou d'un pénitencier conduit inévitablement à l'affrontement légal et physique. Or, les gestionnaires sont imputables de leurs décisions et de leurs actions, car ils doivent répondre tant au public qu'au gouvernement pour les troubles qui surviennent derrière les barreaux ou pour ne pas avoir respecté les lois en vigueur.

Grâce aux pourparlers qu'ils entretiennent avec les pontes de la population carcérale, les dirigeants des établissements de détention peuvent se rendre compte du climat qui prévaut parmi les détenus et découvrir les sources de mécontentement de ces derniers. Du même coup, les administrateurs en profitent pour faire passer un certain nombre de messages qui traduisent leur volonté et leurs attentes, tant à l'égard de leurs interlocuteurs que de l'ensemble des individus incarcérés. Toutefois, le fait d'entretenir régulièrement des discussions avec un groupe particulier de détenus peut présenter certains pièges qu'il vaut mieux éviter.

Ainsi, dans le cadre de leurs fonctions, les représentants des détenus réussissent parfois à obtenir, au fil du temps, un accès direct, fréquent et informel auprès des membres de la direction. Or, quelques détenus manipulateurs profitent de ces occasions pour tenter de marchander des privilèges spéciaux et inhabituels en retour d'une certaine quiétude carcérale et de la soumission des individus incarcérés.

Quant à eux, les administrateurs pourraient se montrer accommodants en accordant des avantages particuliers aux meneurs de la population carcérale qui réussissent à éviter ou régler des problèmes à l'intérieur de la prison ou du pénitencier.

Enfin, certains autres délinquants profitent de leur statut de représentant des détenus pour discuter avec la direction de leur dossier personnel, ce qui a pour effet de court-circuiter les procédures normales et le travail des fonctionnaires attitrés à cette tâche.

Donc, lorsque les rapports entre les représentants des détenus et les membres de la direction ne sont pas tendus et permettent l'atteinte d'objectifs communs aux deux groupes, on constate parfois un rapprochement manifeste entre toutes ces personnes qui peuvent alors chercher à entretenir des relations toujours plus cordiales et familières entre elles. Lorsque les circonstances sont favorables, les délinquants ne laissent pas fuir l'occasion de se livrer à une opération de séduction auprès des plus hautes instances décisionnelles du pénitencier. Ils améliorent en quelque sorte leur image personnelle en démontrant qu'ils sont utiles aux administrateurs et empreints de bonne volonté. Cette image n'est cependant pas toujours conforme à la réalité puisque dans les faits, ces têtes fortes n'hésitent pas à se servir de détenus plus faibles ou de leurs hommes de main pour effectuer de sales besognes ou pour exploiter leur réseau d'activités illicites. Bien que ces types soient capables de résoudre des problèmes qui préoccupent les administrateurs de pénitenciers, il n'en demeure pas moins qu'ils sont parfois la cause de nombreux autres tracas.

Quand les employés de la base réalisent que le comité des détenus a accès au directeur ou aux membres de la direction plus facilement que l'ensemble du personnel, ils s'estiment alors désavantagés par rapport aux détenus, puisqu'ils considèrent ne pas recevoir la même attention et ne pas être en mesure de faire valoir leurs opinions et leurs requêtes aussi efficacement. Pire encore, ils risquent de se désengager peu à peu face à leur travail s'ils apprennent d'abord de la bouche des détenus les décisions et ententes prises avec l'administration. Vient alors un temps où les employés ne vérifient même plus ce qui est vrai de ce qui ne l'est pas. Il ne faut pas oublier que les nouvelles circulent beaucoup plus vite parmi la population carcérale que par les canaux officiels destinés à informer le personnel correctionnel.

Le pouvoir ou l'influence de quelques caïds auprès de la direction peut alors paraître si grand que les employés correctionnels hésitent à faire preuve de fermeté à l'égard de ces détenus, par crainte d'être contesté ou blâmé, ce qui aurait pour conséquence de désavouer leur autorité face à la population carcérale. Une telle éventualité pour le moins humiliante peut avoir des séquelles à long terme puisque le personnel des établissements de détention vit quotidiennement et pendant des années avec les détenus.

Dans un tel contexte, il n'est pas surprenant que certains employés puissent se dire: « À quoi bon s'acharner sur les chefs de bande alors que ces individus ne sont pratiquement jamais mêlés aux incidents de sécurité. »; « Si des détenus influents possèdent des effets en surplus ou jouissent de privilèges particuliers, c'est certainement parce qu'ils en ont obtenu l'autorisation. »; « Pourquoi fouiller quelqu'un si on a la quasi-certitude de ne rien trouver sur lui ou dans sa cellule. Mieux vaut concentrer ses efforts sur des cibles potentielles plutôt que de faire monter la pression inutilement. »

Ce genre d'attitude peut s'avérer dangereuse pour toute l'organisation, d'autant plus qu'elle a un effet d'entraînement plutôt rapide. Vient un temps où la majorité du personnel agit comme si la sécurité n'était plus importante. Du même coup, on se trouve à démontrer officiellement à l'ensemble des détenus que certains de leurs meneurs sont dans une classe à part, puisqu'ils profitent d'un traitement particulier.

Donc, à l'instar des employés ou enquêteurs qui traitent avec des informateurs, les membres de la direction des institutions carcérales doivent respecter certaines règles de conduite lorsqu'ils transigent avec des caïds ou avec le comité représentant l'ensemble des détenus.

Ainsi, nous croyons qu'il faut nécessairement :

— faire une mise au point avec les caïds dès leur arrivée derrière les barreaux dans le but de leur signifier tant les limites permises que les attentes de la direction à leur égard. La même mise au point doit être effectuée lors de l'entrée en fonction d'un comité de détenus;

— informer l'ensemble du personnel sur l'influence, les liens et le rôle joué par les détenus reconnus comme étant des meneurs parmi la population carcérale;

— répliquer fermement à toute forme d'intimidation à l'égard des employés. Un bon travail d'équipe est essentiel à la réalisation efficace de ce principe;

— faire en sorte que les dirigeants des établissements de détention entretiennent des contacts avec les détenus influents seulement lorsque la situation l'exige et en fonction d'un ordre du jour pré établi;

— que les membres de la direction ne se substituent pas aux employés de la base en prenant des décisions qui ne leur reviennent pas habituellement;

— établir un réseau de communication rapide et efficace entre tous les niveaux d'employés afin que les décisions des dirigeants soient communiquées sans retard;

— réaffirmer régulièrement au personnel ce qui doit ou ne doit pas être toléré pour tous les détenus;

— éviter d'accorder un traitement particulier à quelques détenus, ce qui aurait pour conséquence de leur reconnaître un statut prépondérant;

— faire en sorte que les meneurs de la population carcérale se sentent encadrés autant par les autorités que par l'ensemble des agents de correction;

— impliquer autant que possible les employés subalternes dans les prises de décisions qui ont un impact majeur sur l'organisation et les opérations de l'établissement carcéral.

Finalement, il est important que les membres de la direction ne se sentent jamais isolés ou sans ressources lorsqu'ils transigent avec un ou plusieurs délinquants. Le fait d'être au sommet de la hiérarchie ne doit pas empêcher un dirigeant de consulter des ressources extérieures, un homologue ou même un subordonné afin de demander l'appui nécessaire ou encore de confier certaines inquiétudes. La gestion d'un centre de détention n'est efficace que lorsque tous les éléments du personnel travaillent en équipe et avec confiance vers des objectifs communs.

Un directeur de pénitencier a déjà rencontré seul à seul un représentant du comité des détenus qui lui avait exhibé une photographie polaroïd prise dans sa cellule et mettant un évidence une arme à feu déposée sur une édition récente d'un journal. Le détenu avait alors mentionné au directeur, par vantardise ou dans le but d'intimider, qu'il était en mesure d'obtenir tout ce qu'il désirait. Du même coup, il l'avisait fermement de ne souffler mot de cette conversation à qui que ce soit. Les circonstances ne permettaient pas vraiment d'intervenir immédiatement contre le détenu ou de prendre des mesures disciplinaires à son égard. Toutefois, des actions préventives devaient être prises et, à ce sujet, le directeur ne pouvait se permettre de taire les informations qu'il détenait. Garder le silence absolu risquait de le rendre vulnérable et de l'exposer à d'éventuelles manipulations. Or, sans vraiment connaître les intentions véritables du détenu ou les dangers qu'il encourait, le fonctionnaire supérieur s'est quand même confié à deux de ses subalternes en qui il avait beaucoup confiance. Il s'assurait ainsi de limiter les contrecoups advenant le fait qu'il soit victime d'un quelconque complot et ordonnait par la même occasion une enquête discrète par ces personnes dont le jugement et la perception de l'incident n'étaient probablement pas soumis aux mêmes influences et préoccupations qu'il pouvait vivre lui-même.

Après quelques mois, l'enquête avait pu établir qu'un employé de connivence avec le détenu avait vainement tenté et par divers moyens de vérifier auprès des adjoints du directeur si celui-ci avait révélé ce qu'il avait vu et entendu lors de son entretien particulier avec le détenu. Bien que ce dernier n'ait jamais pu savoir si son interlocuteur avait vraiment gardé le secret, il n'a pas réussi non plus à tirer un quelconque profit de sa démarche, puisque le directeur et ses confidents ont pris un certain nombre d'actions pour contrecarrer ses projets potentiels.

LA PEUR DOMINANTE

Un réflexe humain

Nous ne croyons pas qu'un seul employé correctionnel côtoyant régulièrement les détenus puisse affirmer en toute sincérité qu'il n'a jamais eu peur de toute sa carrière. Bien sûr, nombreux sont ceux qui n'osent pas avouer ce sentiment qu'ils considèrent comme une faiblesse en milieu carcéral. D'ailleurs, ceux qui osent verbaliser leurs angoisses auprès de leurs confrères s'exposent parfois aux railleries des irréductibles machos ou risquent tout simplement de perdre la confiance de leurs partenaires de travail. Craignant alors de se voir dévalorisés et isolés, certains n'hésitent pas à refouler leurs émotions et leurs peurs afin de cacher, autant à leur entourage qu'à eux-mêmes, cette réalité qu'ils ne veulent pas accepter. D'autres préfèrent plutôt masquer leurs inquiétudes en se donnant des airs de bravache. Heureusement, la tendance actuelle fait en sorte qu'il est maintenant un peu plus facile de verbaliser ses craintes et de demander de l'aide bien que, malgré tout, beaucoup de travail reste encore à accomplir pour faire évoluer les mentalités.

Il est toutefois important de savoir que la peur n'est pourtant pas la manifestation d'un sentiment honteux ou défavorable en soi qui justifie l'attitude désobligeante de certains collègues de travail. En fait, la peur est comparable à un signal d'alarme qui n'avertit pas nécessairement de la présence d'un danger, mais plutôt de l'émergence d'une situation devant laquelle un individu se sent impuissant et dépourvu de ressources. Ressentir de la peur, c'est aussi avoir la terrible impression d'être sans contrôle face à l'avenir immédiat et, conséquemment, d'appréhender l'inconnu avec beaucoup d'angoisse. Donc, ce n'est pas vraiment la situation qui fait peur comme par exemple se trouver soudainement face à un chien à l'allure redoutable et qui émet un grognement hostile mais plutôt l'incapacité de l'individu à trouver une réponse adéquate et sécurisante à ce problème inconfortable, voire même menaçant.

Ainsi, deux personnes confrontées à un même événement réagiront différemment puisque leurs expériences, leurs connaissances, leurs talents et leur personnalité en général ne sont pas les mêmes. Pour illustrer plus concrètement notre raisonnement, imaginons le cas de deux automobilistes dont le véhicule se met à zigzaguer puis à déraper sur la chaussée glissante. Le conducteur novice risque d'être affolé et désemparé, ce qui lui fera possiblement perdre le contrôle de son automobile, alors que le conducteur expérimenté ressentira peut-être un bref frisson suite à l'effet de surprise, mais il saura malgré tout exécuter les manoeuvres adéquates et sécuritaires pour stabiliser son véhicule. Toutefois, l'expérience n'étant pas l'unique facteur qui permet d'acquérir la confiance, on constatera à diverses occasions que les épreuves passées se traduisent parfois en de bien mauvais souvenirs rappellant soit un échec ou des sensations désagréables. Un même événement doit, dans certains cas, être vécu à plusieurs reprises pour que l'apprentissage confère suffisamment d'assurance permettant de chasser toute forme de crainte. Malgré tout, il y a des gens qui ne réussissent pas à surmonter leurs peurs en raison de blocages psychologiques ou de traumatismes sévères.

Un milieu éprouvant

Les hommes et les femmes oeuvrant quotidiennement en milieu carcéral sont exposés à de multiples et diverses situations susceptibles d'ébranler leur confiance personnelle et de les rendre craintifs. Ainsi, lorsqu'ils ressentent de l'insécurité, de la peur ou même de l'angoisse, ils sont soumis à ce qu'il est convenu d'appeler du stress. Or, le stress qui se caractérise par des perturbations psychiques et physiologiques se manifeste sous diverses formes que nous tenterons d'illustrer dans les pages qui suivent.

Le stress perpétuel

Le fait de devoir maintenir l'ordre et la discipline tout en assurant sa propre sécurité parmi des sujets qui ne sont pas reconnus pour leur docilité constitue une source de stress continue et non négligeable. Les autorités gouvernementales ont d'ailleurs reconnu cette réalité en accordant aux employés correctionnels la possibilité de bénéficier de leur pension de retraite à une échéance plus rapprochée que pour l'ensemble des autres fonctionnaires.

Le travail dans un établissement de détention exige également d'être vigilant et toujours prêt à intervenir par la force si nécessaire afin de contrer la tentative d'évasion d'un individu déterminé qui n'a plus rien à perdre, ou pour s'interposer afin d'empêcher deux détenus de s'entre-tuer, ou encore pour venir en aide à un confrère de travail qui riposte à l'affrontement verbal ou physique d'un délinquant, ou lorsqu'il faut faire face à un incendie ou toute autre situation urgente et dangereuse.

Ce sont là des exemples d'événements critiques très éprouvants et dont la seule appréhension suffit à faire vivre, à différents degrés, des tensions ou des inquiétudes toujours présentes chez chaque fonctionnaire.

L'apparence physique, le type de délit ou la réputation des criminels notoires contribuent aussi à inquiéter et freiner ceux qui doivent composer quotidiennement avec ces personnages redoutables. Qu'il s'agisse d'individus costauds, couverts de sinistres tatouages, de motards intimidants, de membres influents et puissants de la mafia, de dangereux délinquants sexuels ou même de cas psychiatriques au comportement violent et imprévisible, ce sont tous des éléments de la clientèle carcérale avec qui certains fonctionnaires se sentent plus ou moins en confiance et aptes à intervenir efficacement.

Nombreux sont ceux également qui craignent de circuler parmi des groupes compacts de détenus, car ils ont peur de se faire invectiver, d'être bousculés, encerclés, de se faire cracher dans le dos ou d'être assailli d'une quelconque façon. De plus, nous ne pouvons passer sous silence le phénomène des prises d'otages qui est omniprésent dans l'esprit des employés correctionnels. Nous croyons que tous ceux qui côtoient la population des prisons et pénitenciers n'ont pu s'empêcher de penser un jour ou l'autre qu'ils pourraient être victime d'une prise d'otages et peut-être même y laisser leur vie. D'ailleurs, tous les nouveaux employés sont normalement sensibilisés à cette réalité et on leur donne du même coup quelques conseils à suivre pour le jour où ils devraient vivre cette pénible expérience. Un autre phénomène relativement récent dans les centres de détention est la crainte de contracter une maladie infectieuse tels l'hépatite B ou le sida. À cet égard, une information a déjà circulé dans un pénitencier, à l'effet qu'un détenu était en possession illégitime d'une seringue et qu'il s'apprêtait à recueillir un échantillon de sang contaminé d'un codétenu sidatique afin de l'injecter par la suite à un agent de correction qu'il méprisait. Un tel projet a de quoi faire frémir le plus faraud des fonctionnaires.

Bien que ces exemples correspondent à une facette du travail ou aux aléas susceptibles de se produire en milieu carcéral, il y a aussi toutes ces occasions où les délinquants n'hésitent pas à effrayer délibérément leurs geôliers en sachant très bien que ceux-ci, lorsqu'ils sont sous l'emprise de la peur, n'ont pas la même perception des problèmes et commettent alors des erreurs ou des impairs à l'éthique professionnelle. S'il y a un sentiment difficile à cacher, c'est bien la peur. Or, il est certain que les détenus n'ont aucune peine à repérer les fonctionnaires inquiets ou ceux qui sont visiblement effrayés par certains événements et ne doutons pas qu'ils exploitent à leur avantage cette « faiblesse » de l'autorité.

Les éléments les plus craintifs et inquiets du personnel correctionnel sont donc plus susceptibles que la moyenne de leurs confrères de se faire défier et d'essuyer l'attitude rébarbative des détenus lorsqu'il cherchent à intervenir fermement pour imposer des contrôles ou appliquer la réglementation. Ainsi, les prises de bec entre les délinquants et les fonctionnaires constituent certainement le type d'affrontement le plus fréquent. Lorsqu'ils sont mécontents d'une décision prise à leur sujet plusieurs détenus n'hésitent pas à vociférer contre la figure d'autorité qu'ils détestent et qui est responsable de leur déroute. Pour donner plus d'éclat à leur démonstration, les plus audacieux frapperont à coups de poings sur les murs ou le mobilier et gesticuleront énergiquement de façon à attirer l'attention d'un auditoire de codétenus sympathiques à leur cause et susceptibles de manifester leur appui. L'issue de telles confrontations avec des types potentiellement violents est souvent imprévisible et très inquiétante pour le personnel qui travaille fréquemment seul sans pouvoir compter sur l'arrivée de renforts avant de longues minutes.

D'autres individus ont des méthodes bien personnelles pour intimider les figures d'autorité. Ainsi, un certain nombre de délinquants arrogants aiment s'imposer en fixant des yeux avec persistance et d'un regard profond et glacial jusqu'à ce que la personne visée détourne la tête en signe de capitulation face à cette forme d'agression. Nous nous souvenons d'un détenu en particulier ayant développé l'habitude de s'adresser au personnel de très près, si bien que chacun avait le réflexe de faire un pas en arrière, mais en vain, puisque le détenu se rapprochait continuellement.

Évidemment, il y a aussi tous ceux qui profèrent des menaces qu'elles soient directes, indirectes ou voilées. Nombreux sont ceux qui, sous le choc d'une décision défavorable, impuissants et parfois humiliés, s'emportent en utilisant un langage injurieux et menaçant, ce qui leur procure le sentiment de sauvegarder un tant soit peu leur fierté en témoignant verbalement de leur force et de leur éventuelle victoire sur l'autorité. Ces propos vifs et excessifs sont très intimidants lorsqu'ils sont prononcés. Une fois la colère apaisée, les ardeurs belliqueuses s'estompent généralement pour faire place à une attitude plus conciliante et rationnelle. Les individus sous l'effet de l'alcool ou de la drogue sont parmi ceux qui réagissent le plus souvent de cette façon. Un événement insignifiant constitue parfois l'étincelle qui suffit à déclencher l'agitation chez ces individus intoxiqués qui n'ont plus toute leur raison. On comprendra donc que la présence de drogues chimiques et d'alcool frelatée à l'intérieur des établissements de détention représente une source de préoccupation incessante pour le personnel.

Plus rusés et subtils, d'autres détenus prennent des moyens détournés pour se faire craindre et troubler la sérénité de leur victime. Des phrases à double sens telles que : « Nous nous reverrons un jour. », « Je n'oublie jamais un visage. », « Profite du temps qu'il te reste. », « J'ai des amis prêts à me rendre service. », « Ce n'est pas fini, j'aurai le dernier mot. », « Un jour je serai libre et je me souviendrai. » sont fréquemment adressés aux geôliers. Ces propos peu rassurants s'accumulent au fil des ans et sont une source de stress non négligeable pour tous les employés vivant perpétuellement avec le doute et l'inquiétude de rencontrer fortuitement un de ces types indésirables et rancunier.

En évoquant ces exemples, nous nous souvenons d'un détenu particulièrement retors qui a communiqué à maintes reprises des informations de nature à semer l'émoi chez ses interlocuteurs, ce qui était évidemment son objectif, mais qui réussissait du même coup à laisser croire qu'il n'était pas la source de cette menace, puisqu'il agissait à la manière d'un informateur voulant rendre service aux autorités. Son boniment s'apparentait souvent à ceci : « Il y a plusieurs gars qui purgent de longues sentences ainsi que des motards qui sont révoltés de votre décision d'imposer un nouveau règlement. Ces gars violents sont prêts à tout pour vous faire changer d'idée. D'ailleurs, j'ai su qu'ils avaient possiblement réussi à obtenir votre adresse. Je peux essayer d'en savoir plus si vous le voulez. »

Naturellement, la personne recevant de telles confidences et qui ne se méfie pas du soi-disant informateur aura probablement le réflexe de poser un certain nombre de questions et cachera mal son inquiétude, ce qui réjouira sans aucun doute le délinquant qui aura alors atteint son objectif. Le détenu manipulateur réussira peut-être même à soutirer des faveurs spéciales du fonctionnaire, sans que celui-ci ne se rende compte de la tromperie.

Il est fort troublant d'apprendre de la bouche d'un informateur ou d'une tierce personne qu'on risque d'être la victime d'un sombre projet. En plus, lorsque les menaces visent non seulement le fonctionnaire, mais aussi des membres de sa famille, on se doute bien que l'angoisse est à son comble. Il est difficile d'accepter que des personnes innocentes puissent devenir les boucs émissaires d'un individu qui leur est étranger.

De telles situations sont rares, mais n'échappent malheureusement pas à la réalité. Ainsi, des événements déplorables se sont déjà produits alors que des criminels, sans doute en guise de représailles ou d'intimidation, ont vandalisé les biens de certains fonctionnaires ou leur ont fait un mauvais parti, eux, à qui on ne pouvait que reprocher d'être au service de la loi. Dans ces circonstances, chacun se sent vulnérable de toutes parts et ne peut s'empêcher de remettre en question la nature de son travail ou du moins les décisions qu'il a prises ainsi que sa conception du monde carcéral. Des tensions au niveau familial risquent aussi de s'ajouter aux tourments déjà nombreux de l'employé correctionnel, victime de menaces et d'intimidation. Celui-ci ne sait trop comment aborder le sujet avec ses proches tandis que ces derniers manifestent leur désarroi face à une problématique dont ils saisissent mal le contexte. L'incompréhension mutuelle peut alors compromettre l'harmonie familiale. Heureusement, les organisations sont aujourd'hui beaucoup mieux structurées pour aider et encadrer les employés et leurs familles qui font l'objet de menaces plus ou moins explicites. Des politiques ont même été émises pour guider les gestionnaires dans ces situations et toutes les menaces proférées par les délinquants doivent normalement être prises au sérieux. D'ailleurs, il faut reconnaître qu'en vertu de la loi, les personnes menacées sont des victimes d'acte criminel.

D'autres facteurs reliés à l'emploi, mais n'impliquant pas nécessairement la clientèle carcérale peuvent aussi influencer négativement les réactions et la performance des membres du personnel. Nous pensons par exemple à ces employés ayant un superviseur prompt, hargneux et intransigeant avec lequel les échanges sont difficiles et qui distribue les reproches instantanément et sans discernement. Lorsque les relations de travail sont tendues et pénibles en raison de l'attitude d'un patron, les subordonnés ressentent généralement du stress qui affecte leur jugement et leur conduite.

Soulignons par exemple le cas d'un agent correctionnel qui perd malencontreusement les clés d'un secteur de l'établissement. Plutôt que de déclarer rapidement cette perte et d'essuyer les reproches ainsi que la mauvaise humeur de son supérieur, il préférera probablement effectuer lui-même des recherches pour retrouver les clés. Il espère ainsi éviter les embarras, ce qui retardera d'autant les actions efficaces qui pourraient être prises dans tout l'établissement par l'ensemble du personnel, tant pour retrouver les clés perdues que pour protéger le secteur rendu vulnérable.

Une situation analogue pourrait se produire avec un professeur ou un instructeur qui n'a pas récupéré une paire de ciseaux confiés à un détenu dont il ne peut se remémorer l'identité. Pour éviter les tracasseries administratives et masquer sa négligence, surtout s'il n'en est pas à sa première bévue, il estimera qu'il est plus simple d'acheter et d'apporter une autre paire de ciseaux pour remplacer ceux qui sont manquants et ce, en dépit des procédures établies et de la sécurité de son entourage.

Soulignons également le cas d'une infirmière qui se fait subtiliser des médicaments et des seringues et qui décide de modifier son inventaire en conséquence afin d'effacer les traces d'un incident dont elle n'est pas vraiment responsable, mais dont elle craint les conséquences.

Nombreux sont les exemples de la sorte où les membres du personnel ont peur de subir une enquête interne et possiblement d'écoper d'une mesure disciplinaire qui pourrait avoir des répercussions négatives sur une prochaine promotion, sur le salaire et même entraîner le congédiement.

Bien que nul ne soit infaillible, il importe toutefois d'agir de façon responsable aussitôt la bévue constatée. Lorsqu'une faute a été commise, pourquoi l'aggraver en la camouflant ou en tentant de la corriger seul, tant bien que mal, tout en compromettant la sécurité des individus ou de l'établissement? Il est pourtant beaucoup plus facile pour les administrateurs d'être indulgents envers ceux qui ont fait preuve de conscience professionnelle et qui ont signalé prestement leur erreur.

En somme, qu'il s'agisse de l'environnement carcéral, d'incidents critiques, des tensions provoquées par les détenus, des insatisfactions reliées au travail ou des pressions exercées par le système ou les administrateurs, les sources de stress sont nombreuses. Il s'agit donc d'un mal inévitable. Pour vivre une vie saine et équilibrée, mieux vaut apprendre à gérer le stress efficacement. Qu'il s'agisse d'activités physiques, de techniques de relaxation ou autres, le marché regorge actuellement de moyens qui permettent d'évacuer la tension accumulée par le stress. Chacun devrait donc être en mesure de trouver la solution qui lui convient.

De leur côté, ceux qui n'arrivent pas à composer efficacement avec le stress ont à supporter un fardeau de plus en plus lourd qui conduit d'abord à un désengagement progressif face au travail et, subséquemment à l'épuisement professionnel, aussi appelé *burnout*. Nous élaborerons plus en détail sur cette réalité dans le prochain chapitre. La dépression guette également ceux qui sont submergés et sans réponse efficace face au stress perpétuel de leur vie.

Pour d'autres, le verdict risque d'être encore plus cruel puisque leur corps, en réaction au stress accumulé, leur enverra le signal d'un dérèglement sévère et leur longévité pourrait même être réduite.

Le stress positif

Le stress ne présente pas que des inconvénients. Il peut aussi agir comme un puissant stimulant qui procure l'énergie et la force nécessaires pour affronter des défis d'envergure. Chacun de nous a sûrement vécu un jour ou l'autre une situation tendue, angoissante et peut-être même dangereuse qui exigeait le maximum de capacités. Le stress ressenti a alors mis en état d'alerte tous nos sens, nous incitant du même coup à la prudence. Curieusement, notre vivacité d'esprit, la justesse de nos actions ou la force que nous avons réussi à déployer nous a permis d'atteindre avec succès le but recherché. Le flux d'adrénaline qui a alimenté notre organisme a eu un effet bénéfique et inespéré. On doit donc reconnaître que le stress peut vivifier le corps et l'esprit, en autant que l'individu conserve la maîtrise de ses moyens et qu'il ait confiance en lui. Ces aptitudes ne sont pas innées mais on peut cependant les développer avec de la volonté.

Bien que le stress puisse s'avérer positif et permettre la réalisation de performances remarquables, il n'en demeure pas moins important de toujours prendre le temps de se détendre et de récupérer après avoir vécu une forte tension et toute une gamme d'émotions.

Le stress inhibiteur

Paradoxalement, le stress peut parfois devenir si intense qu'il a un effet paralysant autant au niveau des actions que du jugement. Ainsi, l'angoisse profonde peut engendrer un état de panique au cours duquel les personnes sont incapables de réagir efficacement et de poser des gestes pourtant familiers ou qui ont été dûment appris et répétés.

Citons à titre d'exemple, le cas d'un tireur d'élite qui doit être prêt à faire feu à tout moment sur un criminel menaçant la vie d'un otage. En dépit des nombreuses pratiques auxquelles il a participé, celui-ci peut malgré tout s'avérer incapable de presser la détente de son arme lors d'un événement réel. Un certain nombre de chasseurs vivent un blocage analogue lorsqu'ils ont en mire le gibier tant convoité. Une expression anglaise qualifie ce phénomène de « *Buck Fever*».

Le stress inhibiteur peut non seulement figer la victime, mais aussi être la cause d'agissements totalement incohérents, voire même de crises d'hystérie. Sur un plan plus physique, d'autres désordres fonctionnels sont également susceptibles de se manifester. Soulignons, entre autres, les tremblements, les difficultés d'élocution allant jusqu'à l'incapacité d'émettre un seul son, la soudaine perte de contrôle des sphincters anal ou vésical et même, à la limite, l'évanouissement.

Les premières minutes sont certainement les plus cruciales pendant les événements où la tension est intense, comme lors d'une évasion, d'une prise d'otage, d'une émeute ou d'une agression grave. C'est bien souvent dans cette brève période de temps qu'une intervention judicieuse peut faire toute la différence entre le succès ou l'échec. Au tout début d'un incident,il y a généralement beaucoup d'improvisation et de confusion. Les détenus sont également très nerveux et tant qu'ils n'ont pas bien maîtrisé leur action et pris une position de force ou même un avantage sur leur adversaire, il est relativement aisé pour les agents de correction d'intervenir pour reprendre le contrôle de la situation. La surprise peut toutefois être si grande qu'elle a pour effet de figer l'intervenant potentiel, si bien que celui-ci est incapable de réagir physiquement ou encore il peut oublier spontanément les consignes d'urgence et être complètement désemparé face à la scène dont il est témoin.

Les agents de correction ont pourtant tous reçu la formation nécessaire pour leur permettre d'agir le plus efficacement possible lors d'événements graves. Toutefois, les connaissances théoriques ou même les exercices pratiques n'égalent pas l'intensité d'un événement réel où la nervosité est à son comble. Bien malin celui qui peut prédire ce qu'il ferait à la vue terrifiante de ses amis ou compagnons de travail se faisant agresser et mutiler par des individus hors d'eux-mêmes ou comment il réagirait s'il était lui-même confronté à une mort imminente.

Le stress post-traumatique

Les hésitations ou les blocages que vivent parfois les employés correctionnels à l'égard de certaines situations de travail peuvent aussi être une réaction à un événement traumatisant qu'ils ont vécu. On parlera alors d'un syndrome post-traumatique. La peur de revivre un événement pénible et douloureux dans le cadre du travail quotidien représente certainement une source de stress non négligeable. Toutefois, ce stress post-traumatique ne se manifeste pas uniquement par des craintes ou des inaptitudes à accomplir certaines facettes du travail, mais aussi par des transformations de la personnalité qui affectent la vie personnelle et familiale. Ainsi, on peut assister à : une tendance à l'isolement, de l'irritabilité, de l'insomnie, une perte d'appétit, une surconsommation de médicaments ou d'alcool, une diminution ou extinction de la libido. Toutes ces conséquences et bien d'autres encore conduisent plus ou moins rapidement à la détresse ou la dépression si rien n'est fait pour aider la personne ainsi perturbée.

Selon les circonstances, chaque personne est plus ou moins vulnérable à subir un choc émotionnel suite à un événement grave. Parmi les situations les plus fréquentes retrouvées en milieu carcéral, nous pouvons certainement évoquer la découverte dans le noir, lors d'une ronde de nuit, du corps inanimé et ensanglanté d'un détenu qui s'est tailladé les bras ou le cou dans un geste de désespoir. Tout aussi troublant est le fait de se retrouver face à une cellule dans laquelle on a la vue terrifiante d'un pauvre type qui a mis fin à ses jours par pendaison. Un certain nombre d'employés ont également vécu la pénible expérience d'être agressé sauvagement par un ou plusieurs détenus qui leur ont infligé des coups et blessures ou proféré des menaces. Dans ce dernier cas, de simples gestes ou paroles font parfois beaucoup plus mal qu'un *uppercut*, en raison de l'inquiétude et du tourment perpétuel qu'ils provoquent. Comme si ces tracas n'étaient pas suffisants, certains malheureux se retrouvent, quelques années plus tard, face à face avec leur ancien agresseur qui est toujours à l'intérieur du système correctionnel. Quand on connaît le côté narquois des détenus, on peut comprendre que la personne vivant cette situation a peine à éteindre sa haine et son goût de vengeance face à celui qui est responsable d'un tort, parfois irréparable.

Tout aussi pénible est le souvenir de la mort violente d'un collègue de travail pour ceux qui l'ont vécu de près ou de loin. Plusieurs exprimeront même un sentiment de culpabilité croyant qu'ils n'ont pas tout fait ce qui était possible pour sauver leur compagnon. Les situations de prises d'otages ou d'émeute ont également bouleversé la vie de trop d'employés qui se sont trouvés au mauvais endroit, au mauvais moment. Depuis quelques années, un phénomène nouveau a fait son apparition et il s'avère aussi traumatisant sinon davantage; il s'agit de séquestrations dans le but de commettre une agression sexuelle sur un membre du personnel.

La majorité des personnes impliquées dans ce genre d'événements graves se retrouvent parfois avec des séquelles psychologiques qu'il est convenu d'appeler un « stress post-traumatique ». Heureusement, de nos jours les organisations sérieuses sont sensibilisées aux conséquences engendrées par ces événements. Ainsi, des programmes d'aide aux employés et de désensibilisation au stress causé par un incident critique ont été mis sur pied. Ces initiatives fort louables permettent de déceler les individus ayant besoin d'aide pour mettre à leur disposition les ressources professionnelles ainsi que l'encadrement exigée par leur condition. Toutefois, en dépit du soutien intense et persistant dont ils sont l'objet, quelques victimes pour qui le choc fut considérable ne peuvent malheureusement reprendre leur carrière en milieu carcéral.

Parmi ceux qui réintègrent leurs fonctions, il n'est pas impossible qu'un certain nombre ne puisse réagir efficacement dans l'éventualité d'un événement similaire. Les employeurs acceptent, dans certains cas avec soulagement, les certificats signés par les professionnels de la santé traitant l'employé. Or, ces professionnels connaissent parfois mal la réalité du travail en milieu carcéral et peuvent endosser la réintégration d'un fonctionnaire dans son poste, sans vraiment s'être assurés que leur patient sera psychologiquement en mesure de répondre aux urgences et capable d'assurer la sécurité de ses confrères et consoeurs de travail. L'employeur a donc un rôle à jouer à cet égard. D'un autre côté, par crainte de ne trouver meilleure situation et rémunération ailleurs, certains s'accrochent à un emploi pour lequel ils sont devenus inaptes.

Des réactions favorables et défavorables

Contrairement aux autres typologies d'individus vulnérables que nous décrivons dans ce volume, on se rend compte que la peur touche tout le personnel correctionnel puisqu'il s'agit d'une réalité avec laquelle chacun doit composer dans son milieu de travail. Du fait que la peur soit un phénomène humain, normal et auquel personne n'échappe, il ne faut pas croire pour autant que tout le monde est vulnérable. Seulement lorsque la peur réfrène les actions et le jugement des individus, on peut alors croire en leur vulnérabilité du fait qu'ils sont plus facilement exploitables et qu'ils éprouvent de la difficulté ou sont incapables d'accomplir certaines tâches. Ces cas correspondent donc à la typologie de la peur dominante. Toutefois, il est possible de maîtriser ses sentiments et de surmonter cette peur faisant entrave au bon jugement et réprimant tant les ardeurs que l'enthousiasme et le professionnalisme des fonctionnaires. Ceux-ci doivent cependant faire preuve de beaucoup d'humilité pour percer leur carapace et reconnaître que leurs agissements et leurs attitudes en général ne reflètent pas toujours leurs sentiments profonds. Encore aujourd'hui, la peur demeure un sujet tabou et un synonyme de faiblesse parmi le personnel oeuvrant en milieu carcéral.

Ainsi, dans le but de s'allier un groupe de pairs qui exprime et valorise les individus sans crainte et sans reproche, certaines personnes se mentiront à elles-mêmes pendant des années en refusant d'accepter leurs propres limites. Pendant des années, elles projetteront donc le cliché du type autosuffisant, doté d'une super-personnalité. Cette image est toutefois difficile à conserver et vient un temps où le stress finit par avoir raison de la tromperie. La fierté de ceux qui se croyaient forts et imperturbables écope alors d'un dur coup lorsqu'ils réalisent soudainement que leur limite est bien en deçà de leurs estimations. La réalité et les conséquences sont également très cruelles pour les employés n'ayant jamais eu de fausses prétentions quant à leurs capacités, mais qui ont été aussi lamentables qu'impuissants lors d'un événement où leur intervention opportune aurait pu faire toute la différence entre une réussite ou une catastrophe. Le fait de s'effondrer ou de perdre son sang-froid en situation de stress aigu est généralement une réaction hors du contrôle des individus et surtout indépendante de leur volonté. Dans ces circonstances, on a nettement l'impression que le cerveau est figé et qu'il ne peut plus commander les actions susceptibles de réaliser les intentions ou le but fixés. Les personnes aux prises avec cette forme de paralysie temporaire de leurs facultés ou de leur motricité sont habituellement peu fières de leur performance et elles peuvent vivre un sentiment de culpabilité. Dans ces cas, le jugement sévère et l'incompréhension des collègues de travail ainsi que la réaction souvent négative du public en général ajoutent inévitablement au désarroi de l'employé. Il devient dès lors une proie vulnérable pour les détenus qui sont des observateurs attentifs de la fragilité et des erreurs de leurs geôliers.

Donc, plutôt que de désavouer celui qui a failli à sa tâche en raison d'un blocage quelconque, ce qui risque d'alourdir la piètre estime qu'il a de lui-même, mieux vaut être empathique et offrir le réconfort ainsi que l'aide psychologique requise. Pour ces cas, le processus disciplinaire nous apparaît discutable même si l'employé n'a pas accompli les actions qu'on attendait de lui. Il y aurait lieu toutefois de réévaluer ses aptitudes à accomplir ses fonctions en situation de stress et de le retirer de son poste si nécessaire, afin de le réaffecter autant que possible à d'autres tâches, à moins que son renvoi pour incapacité ne soit malheureusement la seule solution. Dans ce cas, il s'agirait d'une mesure administrative et non disciplinaire.

En bref, bien que nul ne soit tenu à l'impossible, l'organisation n'en attend pas moins de ses membres qu'ils soient en mesure de faire face à tout genre d'événements et qu'ils réussissent à intervenir le plus efficacement possible, selon les consignes établies et leur bon jugement.

La peur peut s'apprivoiser de sorte que chaque individu, s'il fournit les efforts voulus, arrivera à contrôler et dominer ses réactions afin de prendre les moyens efficaces pour agir sécuritairement. Pour ce faire, il faut être déterminé et foncer vers son but tout en ayant confiance en ses capacités. Ceux qui attendent, qui hésitent, qui se déchargent de leurs responsabilités ou qui invoquent différents motifs pour se donner bonne conscience et justifier leur inaction font preuve de faiblesse, d'inefficacité et abandonnent du même coup une parcelle de leur autorité au profit des détenus. Un confrère de travail a déjà comparé avec une certaine justesse l'ensemble de la population carcérale à un troupeau de moutons faisant face à son berger. Lorsque celui-ci avance, tous les moutons font quelques pas vers l'arrière. À l'inverse, s'il recule, tous les moutons chercheront à progresser vers l'avant, sur le bout de terrain qui leur a été concédé. Même si le défi peut paraître énorme en certaines occasions, il est essentiel que tous les employés correctionnels puissent affirmer leur autorité sur les détenus en prenant la place qui leur revient.

Voici une expérience vécue il y a quelques années et illustrant bien ce principe. L'événement s'est produit suite à un mouvement de protestation des agents correctionnels dans le cadre d'un conflit patronal-syndical qui a entraîné la fermeture du parloir pour la journée, empêchant donc les détenus de recevoir leurs visiteurs. Irritée par cette situation et dans l'espoir de ne pas revivre le même problème au cours des jours suivants, la population carcérale a décidé de manifester son insatisfaction, tout en faisant preuve d'une solidarité peu commune. Ainsi, à 22 h, pendant la dernière période d'activités, presque tous les détenus se sont dirigés au même moment dans la cour de récréation extérieure. Ce mouvement massif des détenus était fort impressionnant puisque, normalement, il n'y a guère plus d'une cinquantaine de délinquants qui profitent de la cour à cette heure tardive alors que, tout à coup, surgissait environ quatre cents d'entre eux. Seuls quelques éléments isolés étaient demeurés dans leur cellule. Un tel déploiement inquiétait tout le personnel en poste, car nul ne pouvait prédire la suite des événements. Les premières observations ont toutefois permis de constater que le groupe demeurait pacifique et limiterait probablement son action à cette seule démonstration de solidarité. Normalement, pendant les activités des détenus, deux agents correctionnels non armés patrouillent la cour de récréation pour prévenir les incidents et assurer le bon ordre. Dans les circonstances, il eut été facile d'évoquer des préoccupations pour la sécurité du personnel, ce qui aurait alors justifié le retrait des agents patrouilleurs dans la cour de récréation, mais le problème fut envisagé sous un autre angle.

En premier lieu, le comportement des détenus ne laissait pas présager de montée de violence ou de gestes d'éclat. De plus, le fait de ne pas envoyer d'agents de correction dans la cour d'activités correspondait exactement à ce que les détenus souhaitaient. En se laissant intimider aussi facilement, on ouvrait la porte à d'autres manifestations semblables qui, à chaque fois, risquaient de défier l'autorité et les politiques des administrateurs. Donc, plutôt que de capituler devant cette forme de chantage, il fut décidé d'assurer quand même une présence du personnel parmi la population carcérale, tel que prévu. Trois agents de correction accompagnés d'un superviseur se sont donc dirigés dans la cour d'activités. Préalablement, quelques consignes d'usage furent transmises à deux miradors armés qui surveillaient le secteur et on fit ajouter aux deux patrouilles motorisées sur le périmètre, un troisième véhicule qui permettait en encadrement et une réponse encore plus efficace en cas de débordement ou d'incident fortuit.

Lorsque les quatre fonctionnaires se sont engagés dans la cour de récréation, leur coeur battaient la chamade. Ils avaient peur certes, mais ils n'agissaient pas comme des personnes effrayées ou en proie à la panique. Ils savaient ce qu'ils faisaient, ils avaient le contrôle de leurs actions; et face aux détenus, tout le personnel projetait l'image d'un ensemble organisé qui n'était pas pris au dépourvu. Les détenus ont eu beau agir différemment, leurs geôliers ont également su réagir tout aussi différemment.

Puisque cette présence parmi les manifestants ne semblait pas envenimer la rogne, les quatre agents correctionnels ont décidé de s'engager davantage en s'éloignant de la porte qui leur permettait de battre en retraite au cas où la situation l'exigerait. La majorité des détenus marchait déjà en rond autour de la piste de course. Le petit groupe a alors convenu de faire la même chose, dans le sens contraire. Il n'y a pas de doute que le premier tour de piste fut particulièrement stressant, car des huées se sont fait entendre et diverses paroles désobligeantes furent prononcées par des individus éloignés qui profitaient de l'anonymat de la foule. De plus, certains petits groupes de délinquants cédaient difficilement le passage lorsqu'ils croisaient les fonctionnaires. Toutefois, dès le deuxième tour de piste, la tension avait baissé énormément et les autorités avaient réussi à imposer leur présence. À 23 h, lorsque la fin des activités a été annoncée, toute la population carcérale a obtempéré sans causer de problèmes et sans retard.

Même si certains agents ont pu considérer que cette action s'avérait trop téméraire, nous croyons en contrepartie qu'elle était tout à fait appropriée, car les agents ont accompli une tâche normalement routinière, ce qui rappelait à l'ensemble des détenus, le rôle et l'intention des autorités de maintenir leur présence dans la cour de récréation. Cette détermination n'aurait certainement pas été la même si la lecture et la compréhension des événements qui se déroulaient avait été différente. D'ailleurs, une situation analogue a déjà eu lieu où une masse importante de détenus s'étaient rendus dans la cour pour manifester, mais dans un climat beaucoup plus explosif où l'agressivité était omniprésente. Les détenus avaient mis le feu à des immondices et s'étaient armés de divers projectiles. Il en fallait peu pour qu'une émeute éclate. Dans de telles circonstances, la présence d'agents de correction parmi les détenus représentait un risque qu'on ne pouvait gérer. Chaque situation doit donc être analysée rationnellement en fonction de tous les indices disponibles et en faisant abstraction des sentiments de peur ou de l'outrecuidance susceptibles de nous animer.

Le lendemain de cette manifestation caractérisée par la présence de membres du personnel parmi la population carcérale, plusieurs détenus parlaient à mots couverts de leur étonnement et en quelque sorte du respect qu'il avaient à l'égard des agents qui étaient venus leur faire face et ce, en dépit de l'impact défavorable de cette présence, sur le succès de leur moyen de pression. Sans pouvoir le certifier, il y a fort à parier que cette réponse à l'action des délinquants a pu faire mourir dans l'oeuf d'éventuels projets similaires, ou, peut-être que les protagonistes s'assureront à l'avenir que certains administrateurs ou membres du personnel soient absents avant de s'engager dans une quelconque lutte contre les autorités.

Un relâchement dans les procédures de sécurité, la recherche de la facilité, des pratiques correctionnelles peu rigoureuses, une conception utopique du monde carcéral, différents problèmes d'ordre administratif, syndical ou autre ont pu faire en sorte que dans certains établissements de détention, le personnel n'est plus en mesure aujourd'hui de circuler parmi les détenus pendant les périodes d'activités, sans craindre d'être assailli physiquement ou d'être carrément repoussé sans ménagement hors du secteur. Lorsque certains lieux d'un pénitencier ou d'une prison deviennent un territoire exclusif aux délinquants, on peut certainement présumer d'une certaine faiblesse des administrateurs dans l'application de procédures visant la sécurité des individus et de l'établissement en général. L'efficacité du personnel lorsqu'il doit répondre à une urgence ainsi que de la qualité de ses interactions avec la population carcérale peuvent également être remises en question. À notre avis, cette situation est inacceptable. L'observation des détenus depuis les miradors, les galeries de surveillance ou les téléviseurs en circuit fermé ne remplaceront jamais l'important contact humain devant exister entre ceux qui détiennent un rôle d'autorité et ceux qui doivent se soumettre. La garde des prisonniers depuis des postes statiques et isolés est certainement utile, mais en complément d'un encadrement dynamique qui favorise les rapports interpersonnels. Dans le cas contraire, on contribue à déshumaniser le système carcéral et on accroît le clivage ainsi que l'incompréhension entre les détenus et leurs geôliers, tout en rendant ces derniers de plus en plus craintifs.

Accorder ce qui est raisonnable et légitime aux détenus sans concéder de privilèges ou de permissions injustifiées et surtout, sans ployer sous les pressions et l'intimidation exige des efforts soutenus et concertés autant des administrateurs que de la masse des employés. Lorsque le stress devient pénible à supporter, il est beaucoup plus facile et tentant de faire des concessions ou de se dégager de ses rôles et responsabilités en s'abstenant d'intervenir lorsque requis. Toutefois, les délinquants repèrent rapidement ces faiblesses qu'ils n'hésitent pas à exploiter. Les agents correctionnels qui espéraient alors se soulager d'une certaine pression en démontrant moins d'autorité récoltent plutôt l'effet contraire, puisqu'ils seront désormais ciblés comme étant plus vulnérables. Renverser la tendance exigera beaucoup d'efforts et générera un haut niveau de stress.

Les dissensions parmi le personnel sont aussi une cause importante de tension et d'anxiété qui profitent aux détenus. Lorsqu'une majorité d'individus ou des équipes de travail font preuve de laxisme par rapport à d'autres groupes d'employés plus rigoureux, ces derniers subissent inévitablement des pressions supplémentaires des délinquants qui contestent leurs actions et leurs décisions, rendant ainsi le travail plus ardu. On peut donc comprendre l'importance de la communication et d'un excellent travail d'équipe où chaque élément oeuvre en harmonie avec l'ensemble du groupe. Pour maintenir cette cohésion, on doit retrouver à la tête de chaque équipe un meneur capable d'encadrer et de diriger efficacement son personnel. Il faut que celui-ci soit suffisamment sensible pour déceler les faiblesses et aider ceux qui éprouvent des difficultés ou des craintes à l'égard de la clientèle des institutions carcérales. Un moyen efficace pour réduire la pression sur les employés devant prendre des décisions difficiles ou susceptibles de déplaire aux détenus est de former des comités de quelques membres qui assumeront cette responsabilité.

Le caractère de chaque individu transparaît inévitablement dans ses relations interpersonnelles. Les fonctionnaires des prisons et pénitenciers ne font pas exception à cette règle. Ainsi, une observation bien sommaire nous permet de constater rapidement que certains réussissent beaucoup mieux que d'autres à communiquer et à imposer leur autorité. La plupart du temps, ce succès réside simplement dans une approche avisée et affable. Loin de revêtir un caractère bénéfique, les propos bourrus, agressifs ou méprisants provoquent plutôt des réactions de rejet.

Plusieurs personnes cherchent à masquer leur insécurité personnelle en adoptant ce genre d'attitude dominatrice qui ne laisse aucune place à la discussion ou à une possible remise en question. Dans un régime totalitaire où les détenus n'ont d'autre choix que d'obéir aux figures d'autorité, on ne se formaliserait pas de cette brusquerie. Toutefois, dans un système démocratique où les personnes emprisonnées sont protégées par la Charte des droits et libertés, on doit agir humainement, équitablement et avec transparence, sans quoi les détenus risquent de se soulever contre les abus de pouvoir.

Prendre le temps de parler et d'expliquer le pourquoi de certains règlements, politiques ou décisions défavorables peut éviter tellement de problèmes et de conséquences fâcheuses. Le rôle des intervenants en milieu carcéral est justement d'aider les détenus à mieux comprendre ce qui leur arrive et ce qu'ils doivent faire pour améliorer leur situation. Il ne faut jamais prendre pour acquis que les délinquants comprennent nos pratiques et les motifs profonds guidant notre jugement, même si ceux-ci paraissent évidents. Après avoir essuyé un cuisant revers, les détenus vivent inévitablement des émotions plus ou moins vives qu'ils ont parfois peine à gérer. Les fonctionnaires doivent être sensibles à cette réalité en prévoyant et en ajustant leurs interventions en conséquence.

À certains égards, on peut comparer les employés correctionnels responsables du traitement des criminels aux professionnels de la santé. Ainsi, on reproche parfois au personnel médical dans nos hôpitaux de soigner les maladies, sans trop se préoccuper des malades, qui eux-mêmes sont inquiets et craintifs. Dans les établissements de détention, les évaluations et les décisions à l'égard des résidents peuvent être fort judicieuses, mais encore faut-il expliquer au principal concerné le processus ayant conduit à ce résultat. N'oublions pas que les criminels sont des clients involontaires du système judiciaire et leur état de santé leur permet d'être beaucoup plus belliqueux que les patients allongés sur un lit d'hôpital.

Le ton de voix utilisé autant que les explications fournies peuvent avoir un impact déterminant sur la réaction du délinquant et sa réceptivité aux avis qui lui sont adressés. Trop nombreux encore sont les agents correctionnels au tempérament bouillant qui bondissent au moindre affront et qui réagissent à la colère des détenus par une escalade de violence verbale. La meilleure façon pour désamorcer un conflit consiste à se contrôler pleinement, en demeurant calme et en verbalisant des propos apaisants et honnêtes. Le fait de ne pas répondre illico aux injures et aux menaces criées à profusion ne porte aucunement atteinte à l'autorité qui est conférée aux fonctionnaires. D'ailleurs, une fois la crise passée, il sera opportun d'appliquer les mesures disciplinaires contre le fautif.

Toutefois, ces actions ne doivent pas viser l'humiliation du détenu et ce, peu importe son attitude ou les bassesses qu'il ait pu commettre. Après avoir vécu une situation tendue ou un sentiment de peur intense, les agents peuvent être tentés de délaisser temporairement les principes d'éthique censés les guider, pour se défouler et punir les délinquants qui sont alors sous leur contrôle. Qu'il s'agisse de quolibets destinés à ridiculiser, d'ordres abusifs et inutiles, de l'obligation de prendre des positions dégradantes ou de tout autre parole, geste ou commandement ayant pour but de porter atteinte à la dignité, dans tous les cas, ces actions n'ont aucun caractère resocialisant et, bien au contraire, elles alimentent la rancœur ainsi que le désir de vengeance. À titre d'exemple, pensons au cas où un agent de correction se serait fait agresser physiquement par un détenu. Aussitôt qu'un groupe arrive en renfort pour prêter main forte au confrère qui a été assailli, le premier réflexe à contrôler est ce désir d'administrer sur le champ une violente correction au délinquant. L'exhaltation qui vient après avoir maîtrisé un détenu rebelle peut pousser à commettre certains abus. De telles situations où des personnes détenant l'autorité abuseraient de la force ou de leur pouvoir risqueraient fort d'entraîner des conséquences graves pour ces agents de la paix et détourneraient du même coup l'attention du public qui considérerait probablement le détenu comme la victime.

Un autre moyen d'éviter une confrontation potentiellement violente est de développer des aptitudes pour reconnaître les symptômes des personnes en état anormal et particulièrement sous l'influence de psychotropes. On ne doit pas aborder un sujet drogué sans prendre un minimum de précautions et ce, particulièrement dans une enceinte carcérale. Il faut donc connaître l'effet des drogues et savoir que certaines d'entre-elles ont un effet stimulant qui peut abaisser le taux de tolérance à la frustration, susciter l'agressivité et même, pour certains, décupler leur force physique. Dans d'autres cas, le consommateur risque d'être en proie à des hallucinations ou divers autres problèmes physiologiques. Autant que possible, lorsqu'il faut interpeller un individu en état anormal, on doit le faire à l'abri de l'œil indiscret des autres détenus, non sans avoir pris certaines précautions et sollicité l'assistance de collègues de travail. Une formation adéquate sur les drogues, leurs effets ainsi que sur les méthodes d'interventions sécuritaires auprès des personnes en état anormal peut contribuer à accroître considérablement le sentiment de confiance des employés correctionnels.

Les délinquants qui intimident ou menacent délibérément les fonctionnaires ont parfois un impact considérable sur leurs victimes. La crainte d'être la cible de violence constitue une préoccupation constante à laquelle la plupart ne peuvent demeurer impassible. Même si certaines personnes paraissent imperturbables, elles vivent néanmoins beaucoup d'anxiété intérieurement, ce qui est d'ailleurs une réaction tout à fait normale lorsqu'on se sent vulnérable et en péril. Ce qui n'est pas acceptable toutefois, c'est de subir seul cette pression énorme, sans demander aide ou conseils, parfois même sans tenter de mettre un terme à la situation accablante ou pire encore, sans sévir contre les éléments qui sèment l'effroi.

Dans le but de se soulager de cette pression dont ils sont victimes, plusieurs décident d'ignorer ou de ne prêter aucune attention à ceux qui se livrent à des actes d'intimidation. D'autres préféreront feindre l'indifférence pour démontrer qu'ils ne sont pas affectés par les événements qui les entourent. Ces réactions ne sont à notre avis que des cataplasmes sur des plaies cancéreuses. Le personnel des établissements de détention doit prendre la place qui lui revient en assumant pleinement son rôle d'autorité. L'absence d'intervention face à une conduite répréhensible est indubitablement interprété par les détenus comme un signe de faiblesse susceptible d'être exploitée.

Pour bien illustrer ces propos, soulignons le cas de plusieurs agents de correction féminins qui sont régulièrement victimes de harcèlement sexuel. Ainsi à l'instar de leur collègues masculins, celles-ci effectuent tel que requis des rondes de sécurité en vérifiant la présence et la condition des détenus dans chaque cellule. Or, lorsque ces derniers constatent qu'un agent féminin s'approche de leur cellule, ils se livrent à des actes d'exhibitionnisme ou de masturbation.

Lorsqu'une employée a le moindre doute que les agissements dont elle est témoin ne sont pas fortuits, elle devrait aussitôt signifier qu'elle désavoue cette conduite et exiger que cesse immédiatement ces mises en scène. Le fait de ne pas réprimer la conduite indécente du détenu laisse libre cours à ses fantasmes et à son interprétation de la situation. Or, son interprétation n'est généralement pas la même que la fonctionnaire tente de susciter en présentant une image impassible et détachée. Ne prendre aucune action constitue en quelque sorte l'acceptation de se soumettre aux offensives répétées du délinquant. Or, avec le temps, les inquiétudes de l'employée ne cessent d'augmenter, si bien qu'elle finit par anticiper une éventuelle agression ou quoi d'autre encore. Viendra un jour où elle n'arrivera plus vraiment à distinguer la réalité de son monde imaginaire. Un événement apparemment anodin au début, peut ainsi devenir envahissant et fort préoccupant. La personne qui vit ce drame a peur non seulement de l'individu qui la harcèle, mais aussi de la situation en tant que telle et de ses rebondissements possibles. Elle a également peur de porter plainte ou de prendre des mesures disciplinaires, croyant que ces actions risquent d'aggraver le problème en encourageant davantage les agissements du détenu. À cela s'ajoute la peur du ridicule si elle rapporte ces événements au superviseur ou à des collègues de travail. La peur d'être jugée inefficace, faible ou différente des autres sert également de prétexte pour ne pas solliciter l'aide de son entourage.

Donc, qu'il s'agisse de harcèlement, d'intimidation ou de menaces, il faut absolument réagir en dépit des craintes qui freinent les ardeurs et la motivation. Que les employés correctionnels ressentent de la peur occasionnellement, c'est tout à fait légitime. Cependant, les employés qui sont paralysés ou dominés par la peur au point d'être incapables de fournir les efforts nécessaires pour accomplir leur devoir, n'ont pas raison d'être au sein de l'organisation puisqu'ils assument un rôle d'autorité. Les personnes apeurées n'ont généralement pas un jugement aussi impartial et rigoureux que d'ordinaire. Lorsque leur esprit est tourmenté, les tâches régulières ne sont pas accomplies avec soin et il s'en suit des risques pour la sécurité de l'institution et des personnes en général.

Pour gagner en confiance, il importe de limiter autant que possible les improvisations lorsque des actions périlleuses doivent être accomplies. À cet égard, la préparation mentale joue un rôle capital. Le fait de prévoir, d'imaginer et de visualiser différents scénarios possibles avant d'intervenir dans une situation de crise peut sauver un temps précieux, tout en procurant un avantage appréciable sur la partie adverse. Avant de planifier des stratégies d'action ou de riposte, il faut toutefois s'assurer d'avoir réalisé une évaluation juste et réaliste des ressources disponibles et du problème en présence, sans quoi les événements risquent de prendre une tournure inattendue pour s'envenimer davantage. Par exemple, il vaut mieux ne pas annoncer par bravade la nature des interventions qui seront réalisées sans avoir la certitude de disposer des ressources et des capacités pour les mener à terme.

Les tournées d'inspection et de prévention sont en quelque sorte de bons moyens de se préparer à l'avance pour réagir efficacement lors d'un incident critique. Malheureusement, il y a encore des personnes qui attendent de se retrouver devant un fait accompli pour réaliser qu'elles n'avaient pas pris les précautions nécessaires pour éviter les problèmes. Nous pouvons également mentionner à titre d'exemple tous ceux qui omettent de vérifier régulièrement les systèmes d'alarme et leur équipement de sécurité ou ceux qui ne partagent pas ou ne prennent pas le temps d'écrire certaines informations ou observations qui sont de nature à mieux faire comprendre les interactions ou les comportements douteux des détenus. Aussi, faute d'anticipation ou par entêtement, certains disposent leur mobilier de bureau sans compter qu'ils pourraient être forcés de fuir précipitamment si le détenu à qui ils font face en entrevue devenait soudainement menaçant. À cet égard, il ne faut donc pas s'acculer dans un coin du local alors que le délinquant prend place près de la porte. Si banale soit-elle, cette mesure de sécurité peut s'avérer déterminante pour échapper à une agression grave.

Mieux comprendre pour mieux intervenir

La peur que chaque personne peut ressentir en diverses circonstances ne doit pas être vécue d'une manière individuelle et honteuse. Il faut savoir accepter ce sentiment et l'utiliser dans une démarche de croissance personnelle. La solidarité et l'entraide entre confrères et consoeurs de travail représentent toutefois des atouts majeurs.

Chacun doit d'abord reconnaître que le fait d'avouer humblement ses peurs et ses limites constitue une force et non une faiblesse, car il s'agit là de la première étape et probablement de la plus difficile à franchir pour celui qui demande le secours de ses partenaires. La réponse de ceux-ci risque donc d'être déterminante pour le développement et l'avenir de l'individu qui cherche à acquérir plus de confiance. Il ne faut pas se moquer de ceux qui ont des réactions au stress. L'humour grossier ou de mauvais goût ne favorise pas l'évacuation d'un surplus de tension, mais ajoute plutôt un élément négatif, nuisible à la résolution du conflit et au sentiment d'inquiétude que chacun peut vivre. La pire attitude est probablement de rejeter ou de ne plus faire confiance à celui qui manifeste ses craintes alors qu'il a tant besoin de support. Le partage d'expérience et les judicieux conseils s'avèrent beaucoup plus utiles et constructifs que les attitudes hautaines ou ironiques. Pourquoi ceux qui ont développé des méthodes de travail ou des interventions efficaces dans certaines circonstances ou avec des cas difficiles de la clientèle carcérale n'enseigneraient-ils pas les recettes de leurs succès? Une fois comprise, la leçon profiterait non seulement à un individu en particulier, mais bien à l'ensemble des travailleurs qui bénéficieraient des retombées. Beaucoup de chemin doit encore être parcouru à ce chapitre. De toute évidence, le mode de pensée individualiste de nos sociétés se reflète également dans les relations interpersonnelles au travail.

L'ensemble du personnel et particulièrement les dirigeants se doivent d'être sensibilisés à cette problématique. Pendant de nombreuses années, le réflexe des gestionnaires à l'égard de ceux qui avaient vécu des événements traumatisants ou qui éprouvaient des craintes face à certaines situations était de répéter « Tu es fait fort, tu es capable, tu vas passer au travers de cette épreuve ». Même si ces paroles témoignent d'une forme d'encouragement, elles provoquent malgré tout un certain malaise chez celui qui est en plein désarroi et qui ne réussit pas à puiser en lui les ressources nécessaires pour faire face à ses difficultés. Pire encore, ceux qui sont pris au piège de leur réputation. Ainsi, à tort ou à raison, certaines personnes sont considérées au fil des ans comme des irréductibles. Cette valeureuse image est toutefois difficile à maintenir le jour où tout s'écroule intérieurement, cédant sous le poids du stress et de l'inquiétude accumulés.

Les individus vivant sous la domination perpétuelle de la peur et ne prenant pas les moyens pour développer les aptitudes nécessaires à leur travail se condamnent à une autodestruction certaine. De plus, en raison de leur vulnérabilité, ils constituent un danger tant pour l'organisation que ses membres.

Dans bien des cas, la consommation abusive d'alcool ou de médicaments devient un exutoire pernicieux. Les employés correctionnels n'ayant pas confiance en leurs moyens et ressentant une tension constante risquent de se livrer à un usage abusif de la force lorsqu'ils devront intervenir physiquement pour contrôler un détenu. De leur côté, ceux qui sont l'objet de menaces sérieuses et incessantes développent parfois des délires paranoïdes tellement ils sont obnubilés et confus par cette situation. Nombreuses et variées sont les conséquesces du stress engendré par la peur. Les problèmes débordent rapidement du milieu professionnel pour se manifester dans la vie familiale, sociale et même sur l'état de santé. Les superviseurs doivent être attentifs aux signes avant-coureurs que peuvent laisser transparaître leurs employés en difficulté. Dans les situations de stress, il est important que tous les membres de l'équipe de travail se rassurent entre eux. Tout aussi important est le besoin de décompresser par des activités salutaires permettant de prendre du recul par rapport aux activités quotidiennes.

LE DÉSENCHANTEMENT

Des causes

Le milieu carcéral est un lieu de travail pour le moins particulier si l'on tient compte de la monotonie et de la lourdeur de l'environnement physique qui y prévalent. L'endroit n'est également pas des plus propices aux réjouissances et l'atmosphère générale ne reflète guère la joie de vivre. Quant aux postes de travail, certains sont monotones en raison de leur isolement et du manque de variété dans les fonctions qui s'y rattachent. Soulignons aussi les horaires de travail variables de jour, de nuit, les fins de semaine et les jours fériés qui sont accablants et ont un impact défavorable sur la famille et les activités sociales. Quant à la population qui vit en réclusion et au ban de la société, celle-ci ne manifeste habituellement pas sa gratitude à l'égard des fonctionnaires responsables de l'encadrer. En réalité, les rapports entre ces deux groupes sont plutôt froids, distants et de nature utilitaire. À cela s'ajoute le rôle d'autorité souvent ingrat qui incombe au personnel des centres de détention et qui s'avère de plus en plus éprouvant, particulièrement dans un contexte où les lois accordent maintenant aux détenus des possibilités accrues de contestations et de revendications devant les tribunaux. Dans cette perspective, on peut comprendre qu'une certaine morosité puisse caractériser les employés correctionnels lorsque leurs tâches ne sont pas suffisamment valorisées et que leur implication en général manque de stimulus. Pour quelques-uns, le désenchantement est intermittent et éphémère, alors que pour d'autres, il se perpétue pendant de longues années, parfois même jusqu'au jour de la retraite.

Les conditions de travail que nous venons de décrire et qui affectent tous les fonctionnaires ne sont toutefois pas les seules responsables de leur lassitude. Ainsi, quelques-uns d'entre eux vivent intensément des problèmes personnels, indépendants de leur travail quotidien, mais qui ont quand même des conséquences sur le plan professionnel. Qu'il s'agisse par exemple de tracas financiers, matrimoniaux, familiaux ou quoi d'autre encore, il n'y a pas à douter que l'intérêt pour le travail ainsi que la concentration puissent être réduits, du fait que l'esprit est continuellement envahi et tourmenté par ces questions.

Si la vie privée des fonctionnaires peut générer des problèmes se répercutant sur le plan professionnel, le monde du travail et ses relations en général suscitent autant, sinon davantage de difficultés et de conflits qui perturbent l'harmonie ainsi que le rendement des employés.

Dans ce milieu où les rapports humains et le jugement individuel occupent une place prépondérante, on constate que les divergences d'opinions et les frustrations sont nombreuses. Les décisions prises à l'égard des détenus ou les permissions qui leurs sont accordées ne font pas toujours l'unanimité. Malgré les politiques et règlements en vigueur, applicables uniformément à tous les éléments de la population carcérale, les fonctionnaires n'ont pas tous la même perception des événements et leur seuil de tolérance peut varier énormément d'un individu à l'autre. Cette inconsistance apparente des figures d'autorité, ajouté au pouvoir discriminatoire de chaque agent correctionnel créent des tensions et des discordes parmi le personnel. On assiste également à des rebuffades lorsque la philosophie ou le concept d'administration carcérale appliqué par les dirigeants des établissements de détention n'est pas partagé ou compris par les travailleurs du milieu. Au même chapitre, les bouleversements législatifs qui reconnaissent des droits aux détenus ou qui compliquent le travail des fonctionnaires leur font perdre illusions et ardeurs pour la tâche.

Les expériences déplaisantes où la crédibilité, l'autorité ou le bon jugement sont mis en doute malgré la bonne volonté de l'individu constituent certainement une autre source de démotivation. À cet égard, les enquêtes administratives ou disciplinaires sont parfois redoutées, car les mesures prises dans le feu de l'action, sans avoir eu l'opportunité de réfléchir outre mesure, sont alors l'objet d'une longue et minutieuse étude de la part d'un comité d'experts qui cherche à faire toute la lumière sur l'ensemble des événements en cause. Dans ces cas, les employés sont sur la défensive, en plus de se sentir seuls et mal appuyés par leur organisation qui, forcément, doit porter un jugement sur leur travail, alors que le véritable responsable à l'origine de l'incident est un détenu.

Une situation analogue se produit lorsque des délinquants sont mis en accusation pour des actes criminels ou des manquements disciplinaires et que la personne responsable de faire justice rend un verdict contraire à ce qui était anticipé. À diverses reprises, des agents de correction se sont insurgés lorsqu'un détenu qu'ils ont inculpé fut acquitté ou a bénéficié de la clémence des autorités en raison d'un manque de preuves, du bénéfice du doute, d'un vice de forme ou de procédure. Dans ces cas, le personnel a l'impression de perdre la face devant le détenu qui, de son côté, célèbre souvent sa victoire en narguant l'agent lui ayant cherché noise, ce qui, inévitablement, remue le fer dans la plaie. Évidemment, plus l'employé considère la situation comme une défaite personnelle, plus il réagit émotivement et plus grande est sa déception. Conséquemment, il ressent intensément un goût de vengeance ou bien il décide de ne plus s'impliquer par rapport à ses responsabilités et devoirs futurs.

De leur côté, les types qui ont vécu à répétition des expériences décevantes et frustrantes au cours de leur carrière ou qui ont été témoins de mauvais verdicts, de décisions arbitraires ou qui n'ont tout simplement pas compris le fondement de certains jugements développent peu à peu une conception erronée du système dans lequel ils occupent une part active. Les erreurs ou injustices commises par des personnes de leur entourage et possiblement des supérieurs sont toujours demeurées gravées dans leur mémoire, si bien qu'avec le temps, ils généralisent et concluent que personne n'est vraiment honnête et ce, de la base jusqu'au sommet de la structure hiérarchique. À cause des agissements malheureux de certaines personnes ils ont donc perdu confiance dans le système de justice pénale et ils ne trouvent plus de cadre de référence pour ajuster leurs propres valeurs et principes.

Au jugement parfois trop « administratif » des gestionnaires, s'ajoute l'incompréhension du public et des médias qui critiquent sévèrement le travail du personnel correctionnel. Ces critiques sont inévitablement répétées lors des rencontres sociales des employés avec leur voisinage ou leur famille. Les fonctionnaires répliquent alors bien souvent en défendant les politiques de leur organisation et en expliquant les particularités de la sous-culture délinquante et carcérale. Au début, ils se prêtent généralement de bon gré à cet exercice de résistance et de justification. Toutefois, tout au long de la carrière professionnelle, l'exaspération se fait sentir et, ennuyés d'être continuellement sur la défensive, les discussions sont de plus en plus courtes, si bien que nombre d'employés abandonnent la partie et acquiescent finalement aux allégations formulées contre le système carcéral.

Comme si toutes ces insatisfactions ne suffisaient pas, chacun doit aussi composer avec les incontournables conflits entre des membres du personnel. Probablement à l'instar de tous les milieux de travail, les établissements correctionnels sont aussi le théâtre de tiraillements parfois virulents qui divisent les employés. Nous pouvons être étonnés de constater à quel point des personnes peuvent chercher à nuire et à faire mal à des collègues avec qui ils auraient pourtant tout avantage à développer des liens étroits et un esprit d'équipe solide pour mieux gérer les détenus et, surtout, pour ne pas laisser la chance à ces derniers de tirer profit des discordes trop évidentes. De leur côté, les administrateurs consacrent à l'occasion plus de temps et d'énergie à tenter de résoudre des conflits avec le personnel qu'avec les détenus.

Toutes les situations que nous venons de décrire sont indéniablement une source constante de stress. Au début, le stress est à peine perceptible, puis il s'accumule sans cesse tout en écrasant sa victime qui faiblit petit à petit sous la pression. La personne qui vit dans ce contexte retire évidemment peu de satisfaction de son travail et s'y désintéresse progressivement. Elle devient désabusée. Si des mesures énergiques ne sont pas prises pour corriger le problème du mieux possible ou pour permettre à la personne de récupérer périodiquement moral et énergie, on peut s'attendre à ce que celle-ci atteigne tôt au tard sa limite. On parlera alors d'épuisement professionnel ou de *burnout*. La dégringolade vers ce plancher peut prendre plusieurs années ou être fulgurante, selon le cas.

Plusieurs réussissent néanmoins à se soustraire ou à différer ce stress destructeur en se déchargeant de la plupart de leurs obligations et responsabilités. Ils parviennent ensuite à vivre dans une paix relative en légitimant leur raisonnement et leurs actions grâce à une structure de pensée bien personnelle et une conscience plutôt élastique.

Ces travailleurs n'en demeurent pas moins désabusés et sont, à notre avis, en perdition. Dans l'ensemble ils sont déçus, désorientés et probablement frustrés envers le système auquel ils appartiennent. Ils ont perdu confiance en l'organisation et ne croient pas ou peu en la justice et l'équité dans leur environnement. Ils ont donc une faible estime des dirigeants qu'ils n'hésitent pas à contester. Ils n'ont plus vraiment d'idéal au travail et leur principale, sinon leur unique motivation, demeure leur chèque de paie. De plus, ils ont déjà exclu toute forme ou possibilité d'avancement. Leur schème de valeurs et leurs principes s'étant écroulés, ils recherchent autant la facilité que le plaisir personnel en accomplissant leurs tâches. Leurs intérêts personnels dictent donc leur conduite si bien que la fin justifie leurs moyens.

Les individus gagnés par le désenchantement sont toujours trop nombreux et les conséquences néfastes de leur attitude ou de leurs actions sont vivement ressenties à tous les niveaux de l'organisation. De plus, comment ne pas croire à leur plus grande vulnérabilité face aux délinquants lorsqu'ils ne sont plus guidés par des principes moraux ou un code d'éthique professionnelle?

Des conséquences

Les exemples de situations qui permettent d'illustrer l'attitude ou le comportement du personnel correctionnel désabusé sont nombreux. Un de ceux-ci et, probablement le plus évident, concerne la tenue vestimentaire et le maintien général des employés. Cet uniforme que la plupart doivent porter représente en quelque sorte l'image du prestige et de la qualité de l'organisation, en autant qu'il soit revêtu avec dignité. Or, nous constatons trop souvent du relâchement chez certains dont l'apparence négligée, et parfois même malpropre, ne témoigne certes pas de leur fierté. Lorsqu'un uniforme est mal entretenu ou porté régulièrement d'une manière désinvolte et contraire aux directives émises par les administrateurs, on devine l'indolence et même une certaine rébellion de la part du fonctionnaire en question. La même observation peut s'appliquer à ceux qui ont peine à se tenir droit sans s'appuyer sur un mur ou qui s'assoient en s'enfonçant dans leur chaise, tout en déposant leurs pieds sur le mobilier. Peut-être que le fonctionnaire est quand même efficace dans son travail et qu'il s'agit d'apparences trompeuses, mais l'image présentée et perçue par les détenus est celle du laisser-aller. Il ne faut donc pas s'étonner si cette personne est davantage mise à l'épreuve par des délinquants mal intentionnés puisque sa nonchalance apparente constitue une forme d'invitation.

Si la tenue vestimentaire et le maintien en général parlent d'eux-mêmes, les paroles exprimées de vive voix sont encore plus explicites. Ainsi, il y a des fonctionnaires qui signifient directement leur désintérêt et leur amertume, soit en répondant sèchement à leurs interlocuteurs et en prétendant faussement ne pas avoir le temps de s'occuper de la demande qui leur est formulée, soit en affichant carrément leur indifférence à l'égard de la clientèle carcérale.

De plus, les remarques ou commentaires qu'ils émettent sont parfois aussi malséants qu'impertinents et n'ont définitivement aucune visée resocialisante. Il faut garder à l'esprit que des paroles inconsidérées et qui normalement n'auraient que peu ou pas d'incidence peuvent, à l'intérieur des prisons ou pénitenciers, provoquer des esprits dérangés.

Il y a lieu ici de faire la distinction entre les propos exprimés par le personnel empreint de passion et manifestant des sentiments hostiles dont nous avons tracé le portrait dans un chapitre précédent et les employés désenchantés. Dans le premier cas, l'utilisation de quolibets, de qualificatifs haineux, de paroles irrespectueuses et malveillantes constituent de la violence verbale destinée à provoquer ou attiser consciemment le mépris à l'endroit des détenus. En ce qui concerne les employés désabusés, leur langage traduit plutôt leur désintérêt et leur manque de conviction à l'égard du devoir professionnel qu'ils doivent accomplir en tant qu'intervenant social et agent de changement. Dans les deux cas cependant, les employés sont fautifs et leur erreur contribue à élargir un peu plus encore le fossé de l'incompréhension qui les sépare de la clientèle carcérale.

Plutôt que témoigner de leur mélancolie à l'endroit des détenus, certains seront encore plus volubiles et manifesteront continuellement leur insatisfaction à tout leur entourage. Il s'agit des éternels critiqueurs qui se plaignent du système en général, de leur organisation, des administrateurs, bref, de tout leur environnement de travail. Leur critique n'est généralement pas soutenue par une argumentation logique, profonde ou pondérée et ils ont rarement des solutions viables à proposer en remplacement des problèmes qu'ils dénoncent. Ces gens sont de véritables trouble-fêtes dont l'action perturbe l'ordre établi et démoralise graduellement les équipes de travail. Il est déplorable que des fonctionnaires critiquent leur organisation ouvertement, et parfois même par le biais des médias, au point d'ébranler la confiance du public envers une institution gouvernementale, alors que l'on paie justement ces employés de l'État pour sécuriser et servir les citoyens. Il s'agit là d'un manque de loyauté.

À un degré moindre, on retrouve également ces types qui ont toujours une pointe d'ironie dans leur discours. À leur façon, ils ridiculisent et discréditent leur milieu de travail en utilisant un ton présomptueux et des sarcasmes. Lorsque ces individus soumettent des évaluations, recommandations ou témoignent à la cour et qu'ils laissent échapper des propos ironiques à l'égard des détenus, par exemple, ils minent leur propre crédibilité de professionnel, puisque les décideurs percevront immédiatement, à tort ou à raison, un fond de partialité dans leur présentation. Les opinions et les points de vue émis ont alors beaucoup moins de chance d'obtenir la crédibilité souhaitée.

L'insatisfaction, l'incompréhension ou l'amertume de certains employés à l'endroit des administrateurs et de l'organisation en général favorisent certainement le désengagement face à leurs tâches et responsabilités. Ces personnes désintéressées accomplissent donc leur travail avec insouciance et paresse la plupart du temps.

Les fonctions routinières représentent alors une corvée, et les nombreuses vérifications et les contrôles de sécurité sont exécutés sommairement, sans vigilance. Parallèlement, les fouilles qui constituent pourtant un excellent moyen de prévention ne sont plus qu'une simple formalité réalisée avec empressement. Dans certains cas, les fouilles de cellules peuvent être effectuées sans précaution à l'égard des effets personnels du détenu. Ainsi, suite au passage des agents de correction, une cellule qui serait laissée dans un état déplorable dénoterait un manque de professionnalisme et de respect de la part du fonctionnaire responsable. La même attitude insouciante s'applique à l'endroit des équipements et véhicules mis à la disposition du personnel. Ce matériel qui est généralement destiné à assurer la sécurité des travailleurs et qui coûte relativement cher est trop souvent manipulé brutalement et de façon non conforme à son usage normal. Il en découle donc de mauvais fonctionnements, des bris répétés et un vieillissement prématuré de ces biens. De toute évidence, les personnes désabusées qui n'ont pas d'intérêt au travail et qui s'ennuient ont tendance à être malfaisantes et à causer du vandalisme. De leur côté, quelques-uns, gagnés par la lassitude, n'hésitent pas à s'installer confortablement pour dormir sur leur poste de travail. Au préalable, ils prennent soin de bien régler leur montre-réveil pour être tirés du sommeil au temps opportun. Si certaines fonctions sont parfois accomplies avec désinvolture et avec de piètres résultats, dans d'autres cas, elles sont tout simplement laissées de côté. Mentionnons par exemple les rondes de sécurité qui doivent s'effectuer à divers intervalles, mais pour lesquelles on passe outre, sans toutefois négliger d'inscrire dans les registres que le travail a été réalisé tel que demandé. La même recette peut être utilisée pour différentes autres tâches. Ainsi, les consignes qui exigent un nombre minimal de fouilles risquent de ne pas toujours être respectées alors que les rapports produits refléteront une toute autre réalité.

Parce qu'ils ne se donnent pas la peine de faire leur devoir avec professionnalisme, ces fonctionnaires choisissent la voie de la facilité et prennent des risques pouvant être lourds de conséquences sur le plan de la sécurité, tout en créant des opportunités dont peuvent profiter les détenus.

La ferveur n'y étant plus, le travail est réalisé sans conviction ni esprit d'équipe. Dans ces conditions, il ne faut pas s'étonner que l'employé ne retirant pratiquement aucune satisfaction de son emploi ait tendance à développer de l'absentéisme.

Le comportement des personnes désabusées ne se traduit pas uniquement par la nonchalance et le désengagement. Nous avons mentionné précédemment que leur schème de valeurs et leurs principes moraux s'étaient effondrés de telle sorte qu'ils se permettent d'interpréter et de contourner à l'occasion les lois et règlements. Selon les situations, ils créent donc leurs propres lignes de conduite qui n'ont pas de fondement valable et honnête. Il en résulte alors des actes déviants voire même criminels.

Une des plus importantes sources de stress chez les employés correctionnels est probablement la crainte que les délinquants mettent leur sécurité personnelle en danger. Or, la majorité du personnel, selon les constatations d'une étude interne au Service correctionnel du Canada, estime ne pas être d'accord avec les mesures prises sur leur lieu de travail afin de gérer le risque d'être blessé par des détenus. Conséquemment, on peut s'attendre à ce que les plus délurés développent des initiatives personnelles peu orthodoxes visant à assurer leur propre protection. Pour des individus investis d'une certaine autorité, il sera donc tentant d'abuser de ce pouvoir pour placer l'adversaire potentiel sur la défensive. Ainsi, ils peuvent se livrer à de l'intimidation, exercer différentes formes de chantage, effectuer des fouilles abusives, farder la vérité lorsqu'ils rédigent leurs rapports, maquiller ou fabriquer des preuves, etc.

Les actions du personnel désabusé ne sont pas uniquement dirigées contre les détenus. Bien au contraire, les détenus s'avèrent parfois des alliés pour les fonctionnaires qui acceptent de concocter des marchés et ententes secrètes.

Différentes situations d'apparence banale et sans conséquence peuvent évoluer dangereusement et prendre au piège des employés peu soucieux des règles de conduite professionnelle. Par exemple, un détenu fabriquant des pièces d'artisanat peut décider d'offrir sa plus belle oeuvre à un membre du personnel qu'il estime particulièrement. Celui-ci, flatté par cette marque d'appréciation et n'y voyant rien de mal, accepte le cadeau afin de ne pas déplaire à son généreux donateur. Ce geste de reconnaissance est fort louable, mais en milieu carcéral, il signifie bien plus qu'une simple civilité. Ainsi, le fait qu'un agent correctionnel accepte un cadeau d'une valeur significative, qui lui est remis subrepticement par un délinquant assujetti à son autorité vient automatiquement entacher se neutralité tout en démontrant qu'il est possiblement corruptible. De plus, le lien privilégié existant maintenant entre ces deux individus procure implicitement au détenu une certaine emprise sur le fonctionnaire qui risque de se sentir redevable pour le cadeau accepté. Conséquemment, il donnera peut-être à son tour des présents qu'il aura introduits clandestinement à l'intérieur du centre de détention. Certains articles peuvent paraître inoffensifs et insignifiants, mais dans la réalité carcérale, leur valeur marchande ou leur dangerosité est considérable. Ainsi, l'ingéniosité de quelques délinquants est remarquable puisque, grâce à des menus objets, ils réussissent à bricoler des rossignols, des alambics et même des armes à feu artisanales. Croyant offrir un objet anodin bien moins dommageable que divers effets approuvés par la direction de l'établissement, des employés ont déjà remis aux détenus du matériel très compromettant pour la sécurité et le bon ordre de leur établissement.

Quelles que soient les intentions du fonctionnaire qui accepte ou remet un cadeau à un délinquant, il commet un acte répréhensible formellement interdit dans son code de conduite et de discipline. Toutefois, l'employé désabusé ne se formalise guère de ces édits et il oriente son comportement en fonction de ses intérêts personnels. Afin de se donner bonne conscience, il justifie généralement ses actes par un raisonnement plutôt boiteux. Ses excuses les plus courantes ressemblent à ceci :

— « Tout le monde le fait, pourquoi pas moi? »

— « Certains font bien pire que moi et personne n'intervient. »

— « Si je n'en profitais pas, un autre le ferait. »

— « Je ne fais de mal à personne et personne ne sait ce que je fais. »

— « C'est le système qui me pousse à agir de la sorte. »

— « Je ne mets pas vraiment la sécurité en péril. »

— « Lorsqu'il y aura du danger, je saurai m'arrêter. »

— « L'occasion est trop belle, je ne le ferai qu'une seule fois. »

— « Avec ce détenu en particulier, c'est le genre de chose que l'on peut se permettre. »

Parmi tous les condamnés arrivant dans les prisons et pénitenciers, on retrouve un certain nombre de personnes qui se démarquent du groupe en raison de leur prestance ou de leurs réussites sociale et professionnelle. Il s'agit bien souvent de détenus ayant une personnalité attachante et qui ont généralement commis des crimes non violents et à caractère économique. Impliqués dans le monde des affaires, ils sont parfois des chefs d'entreprise et disposent de nombreuses ressources. Ces éléments de la population carcérale entretiennent normalement de bons contacts avec le personnel correctionnel qui, de son côté, apprécie ce genre de détenus au caractère sociable. Toutefois, ces types œuvrant depuis longue date dans le monde des affaires ont développé, dans plusieurs cas, un mode de relation axé sur la supercherie et l'octroi de divers bénéfices. Même en étant derrière les barreaux, ils continuent à gérer leurs relations de la même façon. Ainsi, des membres du personnel ont déjà profité de divers avantages offerts gracieusement tels des billets de spectacle, des repas au restaurant, etc.

Nous pouvons rapporter au moins deux incidents où un agent de correction qui escortait un membre du crime organisé auprès de sa famille dans le cadre d'une permission de sortie de quelques heures s'est fait offrir une enveloppe contenant plusieurs billets de banque, ce qui représentait une somme substantielle. Cette enveloppe était remise par la famille du détenu en guise de remerciement pour le bon travail accompli dans le dossier de leur proche. Heureusement, dans ces deux cas, l'agent escorteur a refusé le cadeau, ce qui lui a certainement évité d'être sollicité quelque temps plus tard pour rendre un service en guise de reconnaissance. Dans certains milieux interlopes, il est tout à fait normal et usuel de donner ce genre de gratification. Il s'agit là d'une manière efficace pour faire prospérer ses affaires et aller plus vite en sautant des étapes laborieuses. Si cette approche est interprétée comme une forme de courtoisie par ses auteurs, elle reflète sans aucun doute des valeurs délinquantes auxquelles il faut prendre garde d'adhérer.

Les sommes d'argent ou tout autres avantages remis en guise de cadeau ou de récompense à des fonctionnaires par des détenus, particulièrement ceux appartenant au crime organisé, doivent être considérés comme un investissement qui rapportera des bénéfices tôt ou tard. Il peut être fort tentant d'accepter une importante somme d'argent en cadeau, surtout lorsque la remise a lieu à l'extérieur de l'établissement de détention où aucun autre fonctionnaire ne peut être témoin. Ceux qui sont incapables de résister à de telles tentations tombent malheureusement dans un piège béant et s'exposent du même coup à d'éventuelles accusations criminelles. Non seulement faut-il refuser ces offres alléchantes, mais il faut aussi et surtout faire rapport de l'incident pour que des mesures préventives soient prises afin d'éviter que le même scénario se répète avec un autre employé correctionnel.

Certains délinquants et principalement ceux faisant partie du crime organisé ont tendance à observer les fonctionnaires qu'ils ont l'intention de stipendier afin de découvrir leurs faiblesses voire leurs vices. Une fois qu'ils ont identifié un problème ou un aspect fragile de la personnalité de leur victime, ils orientent leur stratégie en conséquence.

Il y a quelques années, un agent de correction éprouvait de sérieux problèmes financiers au point où il avait dû se départir de son véhicule automobile. Ayant repéré cet employé, un détenu aux multiples talents de fraudeur a réussi à le convaincre d'héberger temporairement sa mère qui ne trouvait pas d'endroit pour se loger, en échange de quoi, il lui prêtait sa voiture de luxe, mise au rancart pour la durée de son incarcération. Évidemment, cet employé qui avait accepté un tel marché fut congédié puisqu'il avait outrepassé les limites de sa relation professionnelle et s'était impliqué dangereusement. Dès lors, son impartialité pouvait être mise en doute à l'égard de ce délinquant et le lien de confiance entre ce fonctionnaire et les dirigeants du centre de détention étaient sérieusement compromis. De plus, il entretenait forcément des rapports avec un membre de la famille du détenu, ce qui est également réprouvé par les autorités. Toujours par souci de loyauté et d'intégrité, le code de conduite interdit également les relations avec les ex-détenus.

Malgré ces consignes pourtant connues de l'ensemble du personnel, on a déjà rapporté les cas d'employés qui ont profité de l'incarcération de certains délinquants pour courtiser leur conjointe. Dans d'autres circonstances, des membres du personnel poussés par leurs pulsions se seraient laissés entraîner dans des rapports sexuels avec des délinquants sur les lieux de leur travail voire même dans la cellule de ce dernier. Dans ces situations, il ne s'agit pas d'une relation passionnée et guidée par des sentiments amoureux telle que nous l'avons décrite dans un chapitre précédent, mais plutôt d'une aventure à caractère purement hédoniste.

Lors de permissions de sortie avec escorte, certaines fautes graves ont certes été commises par des agents correctionnels qui avaient la responsabilité d'encadrer sécuritairement le ou les individus qu'ils accompagnaient dans le cadre d'un programme d'absence, pour participer à des activités de resocialisation. Dans certains cas, l'agent escorteur s'est rendu à une autre destination que celle préalablement autorisée. À d'autres occasions, le fonctionnaire a tout simplement abandonné le détenu qu'il accompagnait et lui a fixé un rendez-vous pour le retour, quelques heures plus tard. D'autres situations ont été rapportées où le délinquant et son escorte avaient consommé de l'alcool au point de revenir passablement ivres à l'établissement de détention.

Un autre événement troublant s'est produit lors d'un transfèrement international de détenus. Un groupe d'agents correctionnels avaient profité de cette occasion pour faire une provision de bouteilles de boisson beaucoup moins coûteuses aux États-Unis et ils ont dissimulé le tout dans le véhicule qui ramenait les détenus. De cette façon, ils croyaient échapper aux douaniers et sauver les frais reliés à l'importation de ce genre de produit, mais le dénouement fut tout autre puisqu'ils se sont fait prendre.

On constate donc que des employés désabusés et à l'esprit retors semblent croire en leur invulnérabilité du fait qu'ils sont des représentants de la loi et qu'ils occupent un poste d'autorité. Plus leur statut est élevé au sein de la hiérarchie organisationnelle et plus leur sentiment de confiance sera grand puisqu'ils ont l'impression de contrôler leur environnement et d'être en bonne position pour mieux voir venir les obstacles et réussir à les pallier.

L'appât du gain facile, rapide et substantiel représente un incitatif à commettre des actes illicites auxquels certains membres du personnel ne peuvent résister. Passant outre leurs principes moraux, ils ne tiennent compte que de leurs intérêts pécuniers et se livrent impudemment à des transactions d'affaires ou commerciales avec divers éléments fortunés et influents de la population carcérale. Les plus téméraires accepteront d'entrer secrètement de la boisson, des stéroïdes anabolisants ou différentes drogues à l'intérieur des établissements de détention. Ces produits très prisés par les détenus sont achetés à un fort prix auprès de celui qui accepte le risque de les introduire en contrebande.

Quelques-uns font extraordinairement preuve d'audace et ont recours à des manoeuvres fort dangereuses pour atteindre leur but. Soulignons un cas en particulier où un employé alimentait des rumeurs et informations mensongères à l'effet qu'une arme à feu artisanale et des munitions étaient cachées à l'intérieur du pénitencier. Après quelques jours, il introduisait alors un certain nombre de cartouches qu'il prenait soin de dissimuler dans un recoin de l'établissement. Puis venait le moment où une fouille en règle était organisée pour trouver des indices pouvant corroborer les informations reçues. À ce moment, l'employé en question faisait part d'indications reçues par un détenu à l'effet que les cartouches étaient dans un secteur en particulier. Or, curieusement ce type trouvait quelques instants plus tard un petit paquet contenant les cartouches.

Par la suite, il a répété ce manège au moins à deux autres reprises. Manifestement, cet individu agissait de la sorte pour rehausser l'estime des administrateurs à son égard, tout en gagnant leur confiance. Cette reconnaissance des autorités lui servait alors de couverture pour se livrer à des activités de contrebande avec des détenus. Le tout dura jusqu'au moment où le pot aux roses fut découvert et qu'il dut en assumer les amères conséquences.

Une autre histoire invraisemblable a été portée à notre connaissance. Ainsi, un agent de correction aurait, pour diverses raisons, voulu rendre un service à un détenu envers qui il avait, semble-t-il, une dette morale. Il aurait donc décidé d'entrer au pénitencier une arme à feu chargée à bloc pour la remettre au détenu en question en lui demandant de la rapporter aux autorités après négociations, ce qui lui vaudrait probablement une libération conditionnelle en guise de gratitude pour cette action remarquable. Comme dans le cas précédant, cette machination a échoué, si bien que le fonctionnaire a perdu son emploi. Celui-ci avait des problèmes personnels qu'il a tenté de régler, mais ses actions maladroites l'ont embourbé davantage, jusqu'à le conduire à poser ce geste irresponsable et dangereux.

Une sous-culture du pouvoir

Normalement, dans les différents endroits de travail, les employés qui se côtoient jour après jour développent des relations pour le moins amicales. La situation n'est pas différente à l'intérieur des centres de détention. Nous croyons même que ces rapports y sont encore plus fraternels du fait qu'il s'agit d'un milieu fermé où le personnel doit composer avec une clientèle non volontaire et généralement réfractaire aux figures d'autorité. Le clivage qui existe sur plusieurs plans entre les surveillants et les surveillés a un effet de rassemblement et d'unité parmi le personnel. Cet esprit de corps est en quelque sorte leur planche de salut lorsque la tension est forte ou lorsque surviennent des épreuves difficiles. Si la solidarité qui unie les employés correctionnels s'avère bénéfique dans la saine gestion de la population carcérale, elle peut aussi représenter un piège redoutable susceptible de porter atteinte à l'image professionnelle et à la probité de l'organisation et de ses membres.

Tout comme les détenus, le personnel carcéral peut se regrouper dans une sous-culture hermétique où prévaut une certaine loi du milieu. Ainsi, il n'est pas rare qu'un fonctionnaire remarque un comportement illégal ou une attitude contraire à l'éthique professionnelle chez un de ses confrères mais, craignant d'être perçu comme un renégat, et afin de préserver l'amitié et la solidarité entre travailleurs, il ne soufflera mot de ce qu'il sait à qui que ce soit. Dans certains cas, le groupe de pairs peut même exercer une forte pression pour empêcher un de ses membres de dévoiler ce qu'il sait ou pour l'inciter à se taire. Craignant de se voir isolés et de ne plus pouvoir compter sur l'appui de leurs confrères et consoeurs pour faire face quotidiennement aux détenus, plusieurs choisissent alors d'assurer ce qu'ils considèrent comme leur propre survie plutôt que de s'afficher dénonciateur ou justicier. La complaisance ou la collusion entre collègues permet donc de garder dans l'ombre des incidents déplorables. Du même coup, on cautionne les imprudences et l'insouciance des uns ou la malveillance et la malhonnêteté des autres qui échappent alors au contrôle et à la discipline de leurs surveillants. L'engagement profond à un groupe d'appartenance et à sa philosophie peuvent conduire à un comportement aveugle dicté par une pensée unique, une confiance absolue et une illusion d'invulnérabilité.

Il est inadmissible que des agents de la paix veillant tant au respect qu'à l'application des lois et qui, par surcroît, doivent prêcher par l'exemple resserrent ainsi leurs liens dans le but de se protéger et d'être à l'épreuve de la justice. Plutôt que d'incriminer un confrère, certains peuvent pousser l'impudence jusqu'à fabriquer des preuves, détruire des indices ou même rendre de faux témoignages.

Les employés correctionnels, en raison du rôle et des responsabilités qui leur incombent, ont le devoir de prendre tous les moyens nécessaires pour mettre fin aux actes illégaux dont ils sont témoins même si leurs collègues de travail en sont les auteurs. D'ailleurs, une intervention salutaire peut-être d'un précieux secours pour celui qui, hors de lui, se laisse emporter dans une escalade de délits tout aussi graves les uns que les autres. Que l'on pense par exemple aux actes violents qui sont commis par des agents faisant un usage excessif de la force ou qui décident de tabasser un détenu. Il y a aussi ceux qui tentent par tous les moyens de provoquer de vives réactions, que ce soit en créant des situations de toutes pièces ou en diffusant des informations erronées afin de pousser les délinquants à commettre des règlements de compte ou en commettant des bris de confidentialité qui dévoilent des renseignements préjudiciables aux détenus. Bref, les exemples sont abondants et, à cet effet, on n'a qu'à penser aux nombreuses situations décrites dans les pages et chapitres précédents. En demeurant indifférents aux paroles ou aux actes déplacés dont ils sont témoins, les employés encouragent ou du moins accordent un consentement tacite à leurs collègues qui agissent incorrectement.

Les interventions des fonctionnaires à l'égard de leurs compagnons fautifs ne doivent pas se limiter aux seuls actes criminels. Les individus qui ne respectent pas l'éthique professionnelle doivent également être aidés avant qu'ils ne s'enlisent dangereusement et irrémédiablement dans un quelconque piège. Ainsi, qu'il s'agisse de ceux qui développent des relations particulières et non autorisées avec les délinquants, de ceux qui exécutent leurs tâches négligemment et avec insouciance ou même des employés qui éprouvent des problèmes personnels dont les répercussions se font sentir au travail; tous ces individus doivent être aidés avant qu'il ne soit trop tard. Ce n'est pas aider quelqu'un que de fermer les yeux sur ses actes ou de croire que la responsabilité de l'intervention ne revient qu'au patron. Après avoir prodigué aide et conseils, il faut toutefois savoir se dissocier de ceux qui ne réajustent pas leur attitude. L'amitié entre confrères ne doit pas entacher le professionnalisme et faire oublier les objectifs fondamentaux pour lesquels chacun s'est engagé à travailler.

Il est facile d'énoncer tous ces principes, mais en pratique nous savons bien que les choix sont déchirants et que les actes à poser exigent une grande force de caractère. Prenons par exemple le cas d'un employé récemment embauché qui fait équipe avec un vieux routier bien estimé de la grande majorité du personnel. Si ce dernier a parfois tendance à dormir la nuit pendant son quart de travail ou s'il dégage fréquemment une haleine d'alcool, son jeune confrère lui fera possiblement part de son embarras, mais si le problème ne se résout pas, osera-t-il rapporter la situation à son surveillant au risque d'être rejeté par la majorité des agents de correction qui ne voudront possiblement plus faire équipe avec lui? Il en va pourtant de la sécurité de chacun. Si les capacités de répondre à une urgence sont réduites pour l'un des coéquipiers, les conséquences peuvent être dramatiques. Si une enquête faisait la lumière sur la qualité de l'intervention de ces fonctionnaires suite à un événement grave, l'un serait probablement blâmé pour ne pas avoir été apte à répondre efficacement à l'urgence et à l'autre, on reprocherait de ne pas avoir signalé au superviseur l'inconduite d'un agent correctionnel.

Des situations semblables sont aussi observées entre les employés peu scolarisés, mais qui jouissent d'une longue et profitable expérience et ceux qui, beaucoup moins expérimentés, ont complété des études spécialisées et détiennent des diplômes reconnus.

Les types qui ont acquis leur savoir-faire par la pratique au fil des ans ont généralement tendance à se moquer ou à influencer leurs confrères plus érudits. Ainsi, plusieurs considèrent que les bonnes vieilles méthodes qui les ont si bien servi dans le passé doivent toujours s'appliquer malgré l'évolution du système de justice pénale et la proclamation de plusieurs lois qui ont modifié l'environnement de travail ainsi que les pratiques acceptables. Comparativement au contexte d'il y a quelques années, les législations sont aujourd'hui beaucoup plus rigoureuses au chapitre du harcèlement, de l'usage de la force, du devoir d'agir équitablement, de la transparence, de l'imputabilité et à de nombreux autres égards. Or, il n'est pas aisé pour celui qui n'a pas encore fait sa marque de réorienter son aîné lorsque celui-ci fait fausse route. Hantés par l'idée d'être perçu comme un mouchard, plusieurs ont le réflexe de se disculper de leur mutisme et de leur inaction en affirmant qu'ils n'ont pas à admonester leurs pairs puisque cette tâche relève des superviseurs. Or, si ces derniers n'assument pas leurs responsabilités, il y a lieu de prendre les moyens pour qu'ils répondent de leur inaction.

Lorsqu'une enquête est instituée suite à un incident déplorable et que les habitudes non professionnelles d'un fonctionnaire sont mises en évidence, on questionne inévitablement les partenaires de travail qui avaient connaissance du comportement fautif afin de découvrir les raisons de leur silence complice. Or, bien que l'on puisse souvent comprendre les réticences qu'éprouvent certaines personnes à intervenir pour redresser leurs collègues fautifs, on peut rarement justifier leur inaction.

Pour d'autres qui désapprouvent l'inconduite ou même les actes criminels de leur coéquipier, la meilleure solution est de leur servir, seul à seul, une vive remontrance qui reflète leur profond désaccord et leur mécontentement. Estimant leur intervention suffisante, ils n'impliquent toutefois par les autorités qui demeurent dans l'ignorance de ces faits. Probablement comme d'autres ont pu le faire auparavant, ils consentent une dernière chance à leur confrère. De ce fait, ils se font complices d'une conduite répréhensible et s'exposent encore à des mesures disciplinaires tout comme le principal responsable. Si l'événement réussit malgré tout à échapper à la vigilance des administrateurs, il ne faut pas conclure pour autant en la reconnaissance de l'employé déviant envers son protecteur. Ce dernier risque désormais d'être considéré comme un puriste, un pleutre et une menace potentielle, d'où son rejet possible par un groupe d'employés méfiants et solidaires de leur compagnon.

Lorsqu'un membre du personnel commet un acte condamnable, ses confrères témoins doivent nécessairement opter pour la droiture et la justice, sinon ils versent dans le camp de la malhonnêteté et font défaut à leur devoir professionnel en devenant complice d'une inconduite. Il n'est donc pas possible de se situer entre ces deux pôles; c'est l'un ou l'autre. D'ailleurs, en toute équité, comment peut-on tolérer au nom de la camaraderie entre travailleurs des actes que l'on punirait âprement s'ils étaient commis par des détenus ou des étrangers? Un esprit d'équipe sain implique nécessairement l'auto critique et l'auto discipline.

En théorie, ce principe est généralement partagé par la majorité du personnel. En pratique toutefois, lorsqu'un compagnon de longue date est impliqué dans une sale affaire, l'analyse des faits prend une tout autre dimension. Un bon nombre développent alors une compréhension subjective d'un problème dont ils minimisent l'ampleur et les conséquences. De plus, ils ont tendance à associer les bons états de service de l'employé avec la conduite reprochée, ce qui n'est aucunement pertinent dans la détermination de la responsabilité. Seulement lorsque la culpabilité ne fait plus de doute et que la gravité de la faute a été établie, on peut alors tenir compte des antécédents favorables du sujet pour l'imposition d'une sanction.

Le fait d'assumer un rôle de pouvoir et d'être au service de la justice procure un excès de confiance néfaste à certains fonctionnaires qui se croient irréductibles et qui imposent leur propre volonté. Cette mentalité provoque inévitablement des discordances parmi le personnel qui doit alors composer avec la consigne du silence, le mensonge et le manque de transparence en général. Une atmosphère corrompue où des actes criminels sont commis impunément et où l'hypocrisie et le chantage occupent une place prépondérante constitue une source de lassitude, d'insatisfaction et de stress pour la majorité du personnel qui demeure bien pensant et de bonne volonté.

Ce portrait de quelques employés correctionnels composant une sous-culture que l'on peut qualifier d'anarchique et délinquante serait incomplet si nous omettions d'élaborer sur ces fonctionnaires ayant adopté un style de vie marginale caractérisant généralement le monde des criminels. Il s'agit en fait d'individus ayant choisi de se donner une image de dur à cuire, autant au travail que dans leur vie sociale. Leur apparence générale, leur tenue vestimentaire, leur langage et même leurs tatouages sont profondément inspirés des délinquants.

Aux États-Unis, on assiste depuis quelque temps à des regroupements d'agents de la paix dans des clubs de motards qui, s'ils ne sont pas criminalisés, sont à tout le moins marginaux par leur attitude, leur façon de s'afficher et les valeurs qu'ils véhiculent. Pour ajouter au doute, soulignons que certains de ces individus fraternisent avec d'autres bandes de motards reconnues pour leurs activités criminelles. Il ne faut toutefois pas conclure que les agents de la paix qui ont une motocyclette et qui partagent cette passion avec des amis au sein d'un club ou d'une organisation quelconque se marginalisent et se présentent comme des voyous. Il n'y a qu'une faible minorité de fonctionnaires qui est attirée par un mode de vie anticonformiste.

Que ce soit pour impressionner, créer un impact favorable auprès des détenus ou simplement pour répondre à une fantaisie personnelle, cette image déviante est incompatible avec le rôle d'un agent correctionnel. Ce n'est pas tout d'être honnête, il faut aussi avoir l'air honnête, d'où l'importance de tracer une limite entre ce qui est et n'est pas conforme au mode de vie que l'on a choisi. En affichant clairement ses valeurs et l'idéal auquel on aspire, on ne se rend pas vulnérable par l'ambiguïté du message que l'on transmet aux détenus et on n'attire pas la suspicion des collègues de travail.

Nous remarquons aussi ce phénomène dans le monde policier, spécialement avec les agents double responsables d'infiltrer le milieu interlope. Or, ces policiers qui affichent les apparences et le style de leur clientèle cible doivent être en mesure de rompre autant que possible avec cette fausse image d'eux-mêmes lorsqu'ils ne sont plus en devoir ou lorsqu'ils représentent leur organisation dans des réunions officielles, des conférences ou des séances de formation. Dans le cas contraire, leur loyauté pourrait être mise en doute du fait qu'ils ne font pas ou ne font plus la distinction entre leur rôle d'agent double et leur vie personnelle ou sociale. Selon nous, respecter l'éthique professionnelle dans ces cas, c'est savoir mettre un terme aux allures et activités douteuses lorsque celles-ci ne sont plus requises dans le cadre d'un mandat spécifique relié au travail policier. Les personnes chargées de l'application de la loi qui côtoient régulièrement les milieux criminels doivent donc demeurer fidèles à leur schème de valeurs en prenant garde de se laisser gagner dans leur vie privée par des attitudes, un comportement et un style de vie qui correspondent généralement à celui des délinquants.

Une approche constructive

Les employés désabusés n'éprouvent pratiquement plus de satisfaction et d'intérêt pour leur travail, ce qui n'est pas sans conséquence comme nous venons de le voir. Toutefois, la lassitude et le désengagement caractérisant ces employés ne sont pas des fatalités qui nous heurtent de plein fouet et auxquelles il est impossible d'échapper. Chacun peut et doit entretenir la flamme qui l'anime en jouant un rôle actif dans son milieu de travail.

Malgré la routine apparente de certains postes, le fait d'œuvrer dans le domaine correctionnel n'a rien de machinal. Le travail avec des êtres humains constitue une activité dynamique et un défi perpétuel. De plus, celui qui tient sa curiosité en éveil trouvera toujours matière à changements et apprentissages nouveaux. Toujours importante est la contribution de chaque employé, que ce soit par ses idées, ses actions ou son dévouement en général. Dans le monde effervescent des prisons et pénitenciers, il y a continuellement place pour de nouveaux projets. En s'impliquant ardemment dans différents programmes, comités ou activités parallèles, les fonctionnaires stimulent leur sentiment d'appartenance et leur fierté à l'égard de l'organisation.

La détermination et les énergies consacrées à certaines causes ne rapportent toutefois pas toujours les dividendes escomptés. De plus, le travail d'équipe amène aussi son lot de frustrations et de discordes. Cependant, plutôt que d'encaisser les déceptions ou les échecs sans mot dire, il est beaucoup plus constructif pour les fonctionnaires de poser des questions, d'exprimer leurs désaccords et de faire valoir leurs opinions. Trop souvent, les décisions provoquant le mécontentement demeurent incomprises par le personnel qui n'ose pas se manifester. Ces situations conduisent alors au désengagement. Bien sûr, les orientations prises par les gestionnaires occasionnent parfois des déceptions, mais celui qui comprend le fondement des décisions, même s'il ne les partage pas, est en mesure de tirer des leçons et d'accepter plus facilement sa défaite.

Confiants et continuant à croire en ce qu'ils font, les fonctionnaires doivent se servir positivement des échecs ou des refus qu'ils essuient. Les défis sont nombreux et ce n'est pas après une rebuffade qu'il faut tout abandonner pour se cantonner dans un rôle effacé et improductif. Afin d'éviter d'amères frustrations, chaque employé doit chercher à comprendre et à se conformer à la mission de son organisation ainsi qu'à son cadre fonctionnel. De plus, pour maintenir la motivation et accomplir des progrès personnels, chacun devrait se fixer des objectifs à atteindre. En somme, grâce à la volonté, à une attitude mentale positive et à des discussions franches, tout le personnel correctionnel peut, à notre avis, s'épanouir et avoir du plaisir au travail en dépit de l'environnement carcéral dans lequel il évolue.

La satisfaction et la réussite professionnelle sont cependant étroitement liées à la stabilité émotionnelle et à la qualité de vie générale que chacun s'accorde en dehors du travail. L'accumulation de problèmes personnels, les tracas familiaux, les conflits non résolus, les angoisses ou le stress mal géré sont autant de handicaps qui, tôt au tard, risquent d'avoir des répercussions sur le rendement de l'employé. Qu'on le veuille ou non, personne à notre avis ne peut mettre de côté les soucis de sa vie privée lorsqu'il se présente au travail. Trop de gens ne prennent pas le temps de s'arrêter pour faire le point sur leurs sentiments, leurs relations et leur vie en général. En dépit du rythme accéléré de la société moderne et des nombreuses obligations auxquelles chacun doit se consacrer, il faut nécessairement s'allouer des moments privilégiés pour rajuster l'équilibre avec l'environnement social, familial et professionnel.

Enfin, pour lutter contre le stress et l'épuisement général, chacun doit trouver et développer pour lui-même l'approche la plus bénéfique. Qu'il s'agisse simplement de relaxer, de pratiquer un sport, de participer à des rencontres culturelles, d'organiser des soirées entre amis; toutes ces activités constituent en quelque sorte un investissement pour le mieux-être de l'individu. Par ricochet, le rendement au travail en sera probablement amélioré.

Malheureusement, en dépit des efforts fournis, certaines personnes ne réussiront jamais à s'adapter et à devenir fonctionnelles dans un environnement carcéral. Pour leur bien-être et par professionnalisme, ces personnes devraient démissionner lorsqu'elles en sont à leur début et qu'elles constatent leur manque d'intérêt et leur incapacité à composer avec le milieu. S'accrocher à un emploi ne correspondant pas à leurs aptitudes ne fait que retarder et rendre plus ardue la relance de leur carrière dans une autre sphère d'activité.

Bien que l'engagement et la motivation des employés dépendent en partie des efforts que chacun doit fournir à différents niveaux, il faut toutefois reconnaître que les administrateurs ont aussi un important rôle à jouer à cet égard. Certains ont un style de gestion principalement axé sur la tâche alors que d'autres, sans négliger le rendement, sont beaucoup plus empathiques et sensibles à l'élément humain. Or, considérant que le personnel correctionnel représente la ressource principale sur laquelle l'organisation doit compter pour réaliser ses objectifs, on a tout avantage à miser sur des communications et des relations interpersonnelles efficaces et de qualité.

À ce chapitre, des séances de formation périodiques représentent un outil privilégié, non seulement pour partager des notions théoriques, mais aussi et surtout pour mieux faire connaître les buts, la philosophie et les valeurs de l'organisation. Tous les employés peuvent ainsi être orientés dans une même voie, tout en étant instruits des règles de conduite et méthodes de travail à observer.

Moins formelles que les séances de formation, les réunions régulières des fonctionnaires avec les superviseurs sont également essentielles à une compréhension mutuelle et au bon fonctionnement de l'établissement de détention dans lequel ils oeuvrent. Ces réunions permettent des échanges d'opinions et des discussions à propos de pratiques ou de sujets controversés. Le processus de prise de décisions ne devrait jamais, autant que possible, négliger la consultation des employés concernés. D'ailleurs, si ceux-ci se sentent engagés dans la gestion de l'établissement carcéral, ils développeront plus facilement un sentiment d'appartenance. De plus, ils disposent souvent d'une expertise appréciable pouvant faciliter le travail des décideurs. Lors des réunions ou rencontres entre les superviseurs et leurs subalternes, on doit permettre à ces derniers de questionner et critiquer les orientations prises par les dirigeants. Bien que ces entretiens exigent parfois beaucoup de temps et d'énergie, ils n'en constituent pas moins un excellent moyen de stimuler l'intérêt du personnel, tout en faisant preuve de transparence. Par la suite, plusieurs comprendront mieux le fondement de certaines décisions et accepteront davantage de s'y conformer.

Le partage ponctuel d'informations concernant des décisions importantes, des événements récents, de nouvelles tendances, nouvelles pratiques ou sur tout autre aspect de la fonction ou de l'environnement d'un agent correctionnel représente une forme de respect et d'intérêt à l'égard de ceux qui se vouent à la tâche. En apprenant les nouvelles rapidement, ces gens se sentent appréciés et utiles, peu importe le poste qu'ils occupent.

Une autre facette importante du travail des gestionnaires est de reconnaître les efforts de leurs employés. Une marque d'encouragement ou d'appréciation fait toujours chaud au cœur en plus d'avoir un impact valorisant et stimulant. D'ailleurs, les superviseurs devraient rencontrer régulièrement leurs subalternes afin de leur communiquer les réalisations et le rendement observés par rapport aux objectifs personnels qu'ils avaient fixés à chacun. Des contacts fréquents, francs et directs permettent de déceler des signes avant-coureurs et de remédier aux insatisfactions de chaque employé, réduisant ainsi les risques de désabusement. Bref, celui qui exerce un commandement fondé sur l'exemple et qui tient compte des aptitudes, valeurs, intérêts et aspirations des travailleurs réussit probablement à obtenir de ceux-ci un rendement optimal.

Malheureusement, malgré la bonne volonté des administrateurs et en dépit des lignes de conduite rigoureuses, il y aura toujours des fonctionnaires qui, pour des raisons plus ou moins obscures, choisiront de poser des actes répréhensibles.

À l'instar de plusieurs services de police, les agences correctionnelles devraient peut-être envisager la création d'une section spécialisée pour les plaintes, les affaires internes ou les enquêtes spéciales. Le personnel de cette section serait indépendant et spécifiquement formé pour recevoir et enquêter sur tout signalement d'inconduite de la part d'un fonctionnaire. Une telle structure officialiserait la volonté de l'organisation de s'autodiscipliner et augmenterait du même coup la confiance de ceux qui seraient disposés à livrer des faits troublants.

Lorsque des actes illégaux ont été commis, il ne faudrait pas hésiter à poursuivre le fautif en justice quand cela est possible. De leur côté, les administrateurs peuvent être tentés de laisser partir un employé corrompu à qui ils ont soutiré la démission, car ils n'auront pas à débattre ce cas en cour, ce qui risque toujours de causer des surprises désagréables en plus d'occasionner des pertes d'énergie, de temps et d'argent. Toutefois, en tant qu'organisme intégré au système de justice pénale, les Services correctionnels, en conformité avec le mandat qui leur est confié et dans un souci d'exemple de justice, ne doivent pas, à notre avis, accorder trop rapidement cette forme d'absolution juridique à un employé justiciable.

DÉONTOLOGIE AU QUOTIDIEN

Reconnaître le signal d'alarme

Dans les chapitres précédents, nous avons tracé six portraits qui illustrent différentes situations rendant les agents correctionnels vulnérables dans l'accomplissement de leur travail. La plupart de ces agents ont certainement en mémoire des événements qu'ils ont vécus personnellement et qui s'apparentent à une des typologies décrites précédemment. La majorité d'entre eux ont probablement réalisé assez tôt la présence d'un piège, ce qui leur a permis de s'amender en temps opportun. Mais comment peut-on expliquer que certaines personnes ne semblent pas prendre conscience du bourbier dans lequel elles s'engouffrent progressivement?

Cette question fort complexe peut être l'objet d'une multitude d'explications toutes aussi spéculatives les unes que les autres. Les comportements humains sont très variés et pas toujours rationnels, ce qui ne facilite guère l'élaboration d'une réponse universelle. Néanmoins, nous tenterons dans les prochaines lignes de partager notre perception sur ce point, tout en espérant jeter un peu plus de lumière sur les aspects à ne pas négliger pour réviser les conduites vulnérables avant qu'elles n'occasionnent des problèmes d'envergure.

Peu importe la pression, les raisons ou les émotions qui motivent les agirs de chaque individu, lorsqu'une certaine limite est sur le point d'être franchie, chacun éprouve normalement un temps d'hésitation plus ou moins long. Dans certains cas, la décision d'aller de l'avant ou non est quasi immédiate, alors qu'à d'autres moments l'incertitude revêt un caractère obsessionnel. Cette hésitation survient habituellement quand la personne ressent de l'anxiété, c'est-à-dire lorsqu'elle est sur le point de poser un acte audacieux qui contraste avec ses habitudes, sa morale ou les normes établies. Il s'exerce alors une sorte de dilemme intérieur où les forces incitant à passer à l'action s'opposent à d'autres qui cherchent à réprimer cette volonté d'aller de l'avant.

Ce doute est bien souvent un signal d'alarme pour signifier que quelque chose ne va pas. La formation, l'expérience et les valeurs inculquées au cours des ans ont balisé la voie qui doit être suivie pour accomplir un travail professionnel. Celui qui dévie de ce chemin éprouve, du moins la première fois, un sentiment de contrariété ou d'hésitation que lui fait subir sa conscience. Nous croyons que ce phénomène est commun à tous les individus. Il y a toujours une démarcation, probablement plus ou moins élastique d'une personne à l'autre, mais une fois atteinte, elle déclenche un certain malaise et force une prise de position. Certains chassent rapidement cet inconfort ou cette hésitation en se refusant toute réflexion sur ce qu'ils vivent, déterminés qu'ils sont de poursuivre leur impulsion première. Pour d'autres, le questionnement est succinct et les réponses ne sont en fait que des échappatoires destinées à dissiper les doutes qui troublent leur esprit.

Donc, peu importe la réaction de chacun, nous pensons que personne n'échappe au signal qui provient de son for intérieur. Il faut cependant être à l'écoute de soi-même et accepter de se remettre en question. Ainsi, celui qui réalise que sa conduite ne serait pas la même s'il était en présence de son patron ou de ses confrères devrait comprendre qu'il n'agit probablement pas de façon acceptable et dans le meilleur intérêt de l'organisation. Indépendamment de l'identité des personnes qui se trouvent dans leur environnement, les agents correctionnels doivent maintenir en tout temps la même attitude et le même comportement. Le cas échéant, il y a lieu de se méfier des rapports hermétiques qu'ils entretiennent avec un ou plusieurs détenus. La transparence s'avérera toujours un gage de probité et de professionnalisme. Vivant un sentiment d'inconfort, craignant le blâme, continuellement sur la défensive et justifiant ses faits et gestes, celui-là devrait prendre le temps de confronter sa perception et ses méthodes de travail auprès de ses collègues ou de ses superviseurs.

Les fonctionnaires vulnérables en raison de leurs comportements ou attitudes, refusant d'écouter leurs sentiments intérieurs ou y demeurant insensibles seront probablement confrontés à un autre type d'avertissement provenant de l'extérieur cette fois-ci.

Ainsi, les employés correctionnels qui se côtoient régulièrement ont tôt fait de remarquer celui ou ceux qui, parmi eux, ont des agissements douteux. Dès lors il se développe un climat de suspicion où le travail d'équipe s'effrite, les communications perdent en qualité et chacun s'alimente en rumeurs de toutes sortes. Plusieurs membres du personnel n'hésitent pas à diriger des commentaires déplaisants, ironiques ou à double sens à l'endroit de ceux n'ayant plus leur pleine confiance. Ces derniers se retrouvent alors progressivement isolés de leur groupe de pairs. Certaines informations essentielles à l'accomplissement de leurs tâches ne leur parviennent plus, si ce n'est que sommairement et ce, par crainte qu'ils brisent la confidentalité au profit des détenus. Quelques-uns préféreront même prendre leurs distances par rapport à ces individus afin de ne pas être associés à leur conduite ou à leurs décisions.

Donc, en plus d'être tracassés par le choix qui les a placés dans une situation particulière, ces employés qui éprouvent maintenant un problème relationnel avec leurs partenaires de travail sont certainement moins productifs et efficaces au boulot. D'ailleurs, ils ont probablement été avertis de ce fait par leur superviseur qui se rend bien compte que quelque chose ne va pas.

Ces individus dont les manières sont condamnables craignent généralement leur patron, non seulement en raison leur piètre rendement, mais aussi et surtout à cause des conséquences auxquelles ils s'exposent si celui-ci venait qu'à découvrir le côté caché de leur conduite professionnelle. On peut se douter à quel point les rapports hiérarchiques peuvent alors être superficiels et faussés.

Évidemment, ce genre de situation équivoque représente une faiblesse sur le plan de la sécurité dans la gestion d'un établissement carcéral.

Si des changements dans la personnalité peuvent être observables au travail, il ne peut en être autrement à la maison. Ainsi, plus une personne s'enfonce dans un piège, plus il lui sera difficile de s'en extirper impunément ou sans subir de contrecoups dommageables. Conscients de ce fait, bon nombre d'individus vivant cette situation considèrent de plus en plus insupportables l'inquiétude et l'inconfort vécus à cause du secret qu'ils ont façonné et qu'ils n'osent pas partager. Leur problème devient si envahissant qu'il est omniprésent dans leurs pensées et vient altérer leur humeur et leurs comportements.

Ces changements sont vite décelés par la famille et les proches, qui en subissent forcément les conséquences. Ceux-ci ne connaissent pas toujours les raisons de cette transformation, mais ils se doutent bien que quelque chose ne va pas. Ainsi, ils sont témoins et même boucs émissaires du désintéressement, de l'irritabilité, de l'agressivité ou de la violence potentielle de celui qu'ils ont connu autrement. Cet être perturbé et forcément malheureux n'est plus comme il était auparavant. Son humour est différent, ses pensées, son jugement et ses actions le sont aussi. Comme conjoint, en amour et en tant que parent il est également différent. La vie de cette personne s'écroule peu à peu en l'absence d'un vigoureux effort pour renverser ce mouvement. À plus ou moins brève échéance, des problèmes de santé feront leur apparition. L'insomnie, l'épuisement professionnel, la dépression, l'alcoolisme, les toxicomanies et plusieurs autres écueils risquent de paver sa route.

Bien sûr, tous ces avatars ne s'abattent pas nécessairement sur l'ensemble des fonctionnaires devenus vulnérables et prisonniers de l'un des nombreux pièges que recèle le système carcéral. Toutefois, tel que nous l'avons mentionné en début de chapitre, il s'agit là de différents signaux d'alarme susceptibles de se manifester et qu'il importe de déceler et d'apprécier pour mieux comprendre dans quelle voie chacun se dirige avant qu'il ne soit trop tard pour corriger les erreurs commises. Ceux qui ne réagissent pas assez rapidement franchiront inévitablement un point de non-retour où les conséquences pourront être fort coûteuses, tant sur le plan de la sécurité et du bon ordre de l'établissement de détention que sur la carrière de l'employé fautif.

Il faut toutefois reconnaître que dans la réalité, il n'est pas toujours évident de tracer une ligne de démarcation entre ce qui est acceptable et ce qui ne l'est pas. C'est souvent dans notre façon d'agir ou de réaliser nos choix que la question s'avère la plus épineuse. À cet égard, il faut toujours garder en mémoire que la légitimité du but visé ne peut justifier une totale liberté, tant au niveau des moyens que des comportements que nous pouvons privilégier pour arriver à nos fins. L'éthique ne s'évalue donc pas uniquement par les décisions et les actions qui sont prises, mais aussi par les attitudes et la manière d'être. Revenons maintenant à cette définition que nous avons formulée dans l'introduction :

L'éthique, c'est à la fois une conscience individuelle et corporative guidée par des principes moraux et légaux ayant pour objectifs : le respect des droits d'autrui, la transparence, l'équité, l'impartialité, bref, l'honnêteté et la justice dans leur définition la plus exhaustive.

Lorsqu'une personne est confrontée à une situation nouvelle et s'avère hésitante par rapport à la meilleure attitude ou action à prendre ou lorsqu'elle vit un malaise suite à une décision ou une orientation prise, elle devrait alors se poser cinq questions fondamentales en rapport avec cette définition. Ces questions seront sûrement en mesure de l'éclairer.

1) Est-ce légal ?

Il s'agit là probablement de la question la plus facile à répondre puisqu'elle fait normalement référence à une réglementation écrite. Il faut toutefois comprendre que les lois édictées par le Parlement ne sont pas les seuls textes à consulter. Il faut en plus considérer l'ensemble des directives, politiques et procédures internes auxquelles sont assujettis tous les membres de l'organisation. Les entreprises partagent donc avec leurs employés certaines méthodes de travail et des principes de conduite professionnels devant être respectés dans l'exécution des tâches, ce qui constitue en somme les attentes de l'organisation envers son personnel. Dans l'exercice de leurs fonctions, ceux qui dévient de ces principes corporatifs ou déontologiques ne peuvent prétendre à un sens de l'éthique.

Si l'aspect légal d'une question est facilement vérifiable, il en est tout autrement pour son aspect moral. Les quatre prochaines questions visent donc essentiellement à vérifier cette facette, mais le verdict final ne sera juste, bien sûr, que si chacune des réponses est obtenue suite à un examen de conscience franc et sincère.

2) Les droits d'autrui sont-ils respectés ?

Ces droits sont aussi variés que multiples. Il peut s'agir du droit d'être traité dignement et humainement, du droit à une défense pleine et entière, de l'accessibilité à des renseignements essentiels pour une défense juste et équitable, de la protection de renseignements personnels, etc.

3) Est-ce transparent?

Nous voulons savoir ici si l'attitude générale ou les actions prises sont camouflées en totalité ou en partie aux yeux de certaines personnes. En présence de témoins inconnus ou si un superviseur ou encore un membre de notre famille étaient à nos cotés, nos agirs ou notre attitude seraient-ils les mêmes? Si les médias d'information venaient scruter le dossier, serions-nous en mesure de répondre directement, spontanément et honnêtement aux questions? Y a-t-il apparence de justice?

4) Est-ce équitable?

Le but de cette question est d'établir si une personne est avantagée ou désavantagée par rapport à une autre. Si une autre personne était en cause aurait-elle droit au même traitement ou aurions-nous la même réponse? Est-ce que les forces sont partagées également ou y a-t-il disproportion quelque part?

5) Est-ce impartial?

Il faut maintenant déterminer si le décideur ou la personne en autorité fait intervenir des éléments affectifs ou personnels dans son jugement. Y a-t-il conflit d'intérets? Est-ce que des intérets particuliers sont privilégiés aux dépens d'un groupe ou de l'organisation toute entière? La personne qui agit ou décide anticipe-t-elle un profit ou un avantage quelconque qui dépasse le cadre de son travail? Des considérations émotives influencent-elles la décision ou l'attitude adoptée?

Si une seule des réponses à ces cinq questions est négative, on peut alors soupçonner sérieusement une faiblesse au niveau de l'éthique. Ces questions s'appliquent aussi bien aux individus qu'aux organisations soucieuses de leur image et de l'éthique en général. Les administrateurs devraient donc procéder collectivement à cet auto-examen des activités de leur entreprise en y impliquant si possible des représentants des employés.

Jamais seul

Pour les employés correctionnels soucieux de ne pas être pris au piège ou pour ceux réalisant qu'ils sont dans la mauvaise voie, une constante se dégage de chacun des portraits que nous avons exposés dans les chapitres précédents : il s'agit du dialogue. Il est essentiel pour chacun de trouver la volonté et l'audace de parler afin de vérifier ses perceptions et ses opinions à l'égard de faits ou de situations ambiguës. Ceux qui vivent leurs inquiétudes ou leurs tracas isolément et qui refoulent sans cesse leurs émotions deviennent forcément beaucoup plus vulnérables face aux détenus. Toute personne vivant une situation confuse, surtout au niveau des sentiments, et qui doit ensuite faire des choix difficiles concernant son cheminement personnel, professionnel ou son avenir en général ne peut pas vraiment être objective sur son propre cas.

En ce sens, il ne faut donc pas hésiter à se confier à quelqu'un en qui on a confiance. Qu'il s'agisse d'un confrère ou d'une consoeur, d'un superviseur, d'un représentant syndical, il y a sûrement quelqu'un en qui on peut faire confiance. Il y a aussi ces programmes d'aide aux employés où certains membres du personnel sont volontaires et spécialement formés pour accueillir et orienter leurs pairs qui sollicitent de l'aide pour mieux faire face à leurs problèmes. De tels programmes, parrainés par le syndicat et l'employeur, disposent habituellement d'un budget dans lequel différentes sommes peuvent être puisées afin d'adresser les employés à des professionnels extérieurs, si nécessaire. L'identité des personnes faisant appel à cette ressource et la nature des problèmes que chacun accepte de confier sont foncièrement confidentiels, ce qui contribue énormément à la crédibilité et la confiance que la plupart accordent aux programmes d'aide aux employés. Il coûte beaucoup moins cher à une organisation de défrayer par exemple le coût d'une thérapie à un de ses membres qui redeviendra plus productif après quelques temps, plutôt que d'en arriver à un congédiement à la suite d'une détérioration graduelle ou d'une bévue majeure. Chaque ressource humaine représente un investissement considérable en terme de formation et d'expérience acquise et son remplacement par un nouveau venu engendre nécessairement des coûts prohibitifs. La prévention par un encadrement vigilant et l'assistance des individus en difficulté constituent certainement l'approche humaine la plus rentable que l'on puisse mettre de l'avant. Les employés sont la force ou le moteur de toute organisation, il vaut donc mieux leur accorder toute l'attention qu'ils méritent. Cependant, si bénéfiques et secourables que puissent être les programmes d'aide aux employés, ils ne sont vraiment utiles que si les personnes vivant des difficultés sont prêtes à se confier.

Donc, quelle que soit la ressource privilégiée, il est fondamental que chacun soit en mesure de dialoguer au sujet de ses préoccupations avant qu'il ne soit trop tard et avant d'être irrémédiablement pris au piège. Dans certains cas, des maladresses ou des erreurs ont possiblement été commises et on peut comprendre que des individus soient réticents à avouer ces faits, par crainte d'être blâmés et d'écoper de mesures disciplinaires. Or, bien que les gestes posés fassent partie du passé et qu'il faille désormais en accepter les conséquences, il est toujours temps de réorienter son attitude et ses choix pour l'avenir afin d'éviter des conséquences encore plus désastreuses. Plusieurs de ceux qui réalisent avoir commis des erreurs professionnelles choisissent d'en garder le secret et d'amender leur conduite en conséquence. Dans quelques cas, cette décision peut s'avérer salutaire, mais il ne faut pas oublier qu'en milieu carcéral les délinquants sont à l'affût des défaillances du personnel et des entorses aux règlements afin d'en tirer partie. Celui qui s'est déjà compromis et qui tente de renverser le cours des événements uniquement par ses propres moyens risque donc de demeurer vulnérable malgré ses bonnes intentions. En espérant corriger l'erreur commise, il risque de se retrouver dans une situation encore plus embarrassante. La meilleure solution demeure toujours l'honnêteté et la transparence. Le fait d'avouer ses fautes tout en sollicitant le support nécessaire pour s'amender constitue une démarche concrète et sincère qui facilite certainement l'indulgence des autorités.

L'orgueil ne doit pas empêcher les individus de demander l'aide qui leur sera profitable pour accomplir leur travail dans le respect de l'éthique professionnelle. Il faut beaucoup d'humilité pour solliciter de l'assistance, autant des superviseurs que des collègues de travail, et on aurait tort de conclure rapidement à la faiblesse ou à l'inaptitude de celui qui fait généralement un effort considérable pour franchir ce pas. Dans toute entreprise et particulièrement en milieu carcéral, on doit reconnaître que les forces individuelles et collectives permettant de résister aux offensives ou aux pièges des détenus résident dans un travail d'équipe intense et efficace. La solidarité existant entre confrères et consoeurs de travail ne doit pas se traduire par une sous-culture hermétique cherchant à surprotéger inconditionnellement chacun des siens, mais doit plutôt conseiller, supporter et encadrer les éléments ayant besoin d'aide avant que ceux-ci ne soient irrévocablement entraînés dans une voie sans retour.

On ne saurait trop insister sur l'importance de maintenir une attitude réceptive à l'égard de ceux qui font l'effort de venir confier leurs inquiétudes et leurs problèmes. Au risque de nous répéter, nous tenons à souligner qu'en certaines occasions, il faut énormément de courage à celui ou celle qui décide de confier ses sentiments ou les fautes professionnelles commises. Ce qui paraît banal aux yeux d'un employé qui n'est pas concerné par le sujet et n'ayant jamais vécu pareille situation peut s'avérer dramatique pour celui impliqué émotivement qui sent le piège se refermer sur lui. N'oublions pas que les émotions altèrent le jugement et que la meilleure solution n'est pas nécessairement facile ou évidente. L'appréciation et les conseils d'une personne, à la fois digne de confiance et discrète, sont donc primordiaux pour venir en aide au malheureux tourmenté par des questions d'éthique. Les confidences et propos personnels doivent toujours être pris au sérieux et avec circonspection en dépit de l'aspect risible ou invraisemblable de certaines situations.

À cet égard, rappelons un fait déplorable survenu il y a quelques années et qui impliquait une agente de correction et un de ses superviseurs. À tous les jours, celle-ci devait fouiller par palpation les détenus qui quittaient le secteur de la cuisine au terme de leur période de travail. Or, un des détenus aimait bien lui tenir des propos à caractère sexuel à chaque fois qu'il se faisait fouiller. L'employée, croyant probablement que la meilleure attitude à adopter était l'indifférence, ne répondait aucunement aux remarques qu'elle entendait tout en faisant mine d'être complètement désintéressée. Ceci dura jusqu'au jour où le détenu s'est présenté pour se faire fouiller alors qu'il avait une érection. Comme la fonctionnaire procédait toujours à des fouilles minutieuses, elle a malencontreusement touché le membre viril du détenu et ce, à la grande satisfaction de ce dernier qui avait bien planifié son coup. Outrée par cet incident, l'agente de correction est allée rapporter les faits à un superviseur espérant ainsi obtenir le soutien et les conseils appropriés. Toutefois, celui-ci n'a certes pas compris l'état d'esprit de son employée car, en compagnie de quelques autres membres du personnel masculin, il s'est esclaffé et a taquiné ironiquement celle qui, encore choquée par l'incident, était maintenant complètement médusée par cette réaction inattendue.

Dans ce cas, la personne vivait probablement intensément et depuis plusieurs jours une forme de harcèlement sexuel qui la rendait très mal à l'aise, si bien qu'elle n'osait pas intervenir auprès du délinquant ou des autorités. Le jour où le problème dégénère, elle se sent de plus en plus impuissante et traquée, au point où elle anticipe d'autres événements encore plus troublants et agressants. Ce n'est certainement pas sans difficulté et peut-être même avec un sentiment de culpabilité qu'elle a finalement trouvé la force de confier cette situation gênante à un surveillant à qui elle faisait confiance, tant pour sa discrétion que pour son efficacité.

Toutefois, celui-ci n'a réussi qu'à vexer et accroître le désarroi de l'employée par son attitude et ses paroles inconsidérées. Heureusement, dans ce cas-ci, la personne en question ne s'est pas laissée abattre et elle est allée exposer le problème à un autre surveillant qui a aussitôt accordé son appui à l'agente de correction en plus d'admonester le détenu et de prendre des actions concrètes pour éviter que pareil incident ne se reproduise. Il mettait ainsi un terme à une escalade qui aurait pu avoir de graves conséquences sur la carrière de l'employée et peut-être même sur la sécurité de l'établissement, qui sait?

Donc, lorsqu'un confrère ou une consœur de travail fait l'effort de venir partager ses expériences difficiles ou son embarras à l'égard de certaines situations de travail, on se doit de lui offrir respect et générosité en étant attentif et compréhensif de son vécu. Si on se sent incapable de lui venir en aide, on doit au moins avoir recours à une ressource compétente et disponible qui saura lui prêter assistance. Il est important de reconnaître que nous sommes privilégiés d'être choisi comme confident par ceux qui ont besoin de confier leur vie intime. Faisons en sorte de mériter cette considération.

L'aide et le soutien du personnel correctionnel ne sont pas uniquement l'apanage des pairs, mais aussi et surtout celui des superviseurs et des administrateurs. Ceux-ci doivent bien connaître les nombreux pièges et être conscients des situations qui rendent les fonctionnaires vulnérables. Ainsi, la prévention sera possible grâce à un encadrement soutenu axé autant sur l'humain que sur la tâche. Trop de gestionnaires ayant constaté une baisse du rendement ou la conduite défaillante d'un employé convoquent celui-ci à leur bureau pour le semoncer ou lui imposer une mesure disciplinaire, mais ils oublient de lui demander au préalable si quelque chose a changé dans sa vie ou s'il était aux prises avec un problème personnel qui aiderait à mieux comprendre la situation.

Cette marque d'attention qui peut paraître banale en soi est pourtant une forme d'ouverture au dialogue et à la relation d'aide que nous jugeons si importante pour éviter les pièges. À quoi bon discipliner un employé si on ne prend pas le temps de mieux connaître son vécu et les ennuis qui compromettent possiblement sa conduite professionnelle? Tous les gestionnaires devraient, selon nous, développer cette approche humanisante qui profite certainement autant aux individus qu'à l'organisation toute entière.

CONCLUSION

Nous avons tenté de décrire dans les chapitres précédents un certain nombre de situations où des employés correctionnels se sont rendus vulnérables face aux détenus en raison de leur manque de rigueur face à l'éthique professionnelle. De plus, certains événements auxquels nous avons fait référence sont peu reluisants, si bien qu'un lecteur peu familier avec le monde carcéral peut garder l'impression que le système pénitentiaire et les individus qui y travaillent sont essentiellement médiocres et inefficaces pour composer avec une clientèle délinquante. Bien que nous ayons déjà formulé une mise en garde à cet égard dans l'introduction, nous croyons important de réaffirmer que la réalité est tout autre. Malgré cela, on déplore toujours des incidents malheureux au cœur desquels on retrouve des employés dont la conduite et le jugement peuvent être remis en question. Tous les membres du personnel ne sont évidemment pas des modèles de moralité. Comme dans toute entreprise, les Services correctionnels comptent un certain pourcentage de ses travailleurs qui, à un moment ou à un autre de leur carrière, sont plus fragiles et susceptibles de se laisser emporter hors du cadre professionnel.

Dans l'ensemble, le système carcéral a toutefois évolué grandement au cours des dernières décennies. On mise davantage sur le perfectionnement du personnel et on a rehaussé les exigences académiques de base pour les nouveaux venus. Le concept ou la philosophie de gestion des établissements de détention a également progressé pour être à l'écoute des nouvelles tendances ou phénomènes de société et de l'opinion publique en général. Travailler derrière les barreaux, ce n'est plus un travail de fier à bras, mais bien une science, la science correctionnelle, où l'on fait appel à des connaissances et des expertises multidisciplinaires axées aussi bien sur la gestion en général que sur le comportement humain.

Soucieuses de projeter une image professionnelle, les organisations ont repensé leur vocation et ont cru bon, dans certains cas, d'élaborer leur propre mission et de décrire les buts et objectifs qu'elles cherchent à atteindre. Du même coup, les attentes à l'égard du personnel correctionnel se sont accrues puisque la réalisation des objectifs n'est possible qu'en obtenant l'appui et le professionnalisme de l'ensemble des employés.

À l'heure où les législations accordent un nombre croissant de droits et de privilèges aux détenus, les administrateurs d'établissements carcéraux doivent également accentuer leurs efforts de transparence afin de limiter les poursuites légales et être en mesure de rendre compte de leurs réalisations aux cours de justice, aux gouvernements et aux payeurs de taxes en général.

Dans un tel contexte, on comprendra que le respect de l'éthique, autant par l'organisation en général que par chaque fonctionnaire, occupe une place prépondérante dans l'atteinte des objectifs professionnels. Il s'agit là d'une question d'honnêteté, de crédibilité et d'estime personnelle qui s'applique en tout temps, en tous lieux et en toutes circonstances. Même la légitimité d'un but visé ou la pureté des intentions finales de celui qui se compromet ne peuvent justifier des pratiques douteuses, déviantes ou carrément illégales.

Plus que jamais, le personnel des centres de détention est conscient de cette réalité et, dans les faits, on remarque effectivement plus de rigueur dans les comportements et attitudes, comparativement à ce qui prévalait il y a quelques décennies.

Le milieu carcéral demeure néanmoins un milieu difficile, composé d'une clientèle guettant toute opportunité qui pourrait lui procurer un quelconque avantage. Conséquemment, les pièges sont nombreux, tout autant que les fonctionnaires risquant de se laisser entraîner dans des sentiers périlleux.

On peut heureusement, dans bien des cas, compter sur la présence de signes précurseurs permettant de déceler les situations problématiques avant qu'il ne soit trop tard. Il faut cependant être réceptif à ces indices et accepter de se remettre en question. À cet égard, la meilleure approche demeure le partage du vécu et des sentiments avec une personne de confiance qui est en mesure d'offrir l'aide et la compréhension requises.

Une des forces des organisations réside d'abord dans la capacité de ses membres d'échanger sur l'éthique et la conduite professionnelle afin de prendre conscience des faiblesses et des erreurs tant individuelles que collectives pour ensuite s'accorder le support mutuel nécessaire permettant de se réorienter dans la bonne voie.

L'entraide entre confrères et consœurs est un acte de générosité profitant à l'ensemble du personnel, car d'une part, cela contribue à assurer la sécurité à l'intérieur de l'établissement de détention en réduisant substantiellement le nombre d'incidents déplorables et d'autre part, en rehaussant le sentiment d'appartenance et la qualité de vie au travail.

Puisse donc le présent ouvrage contribuer à cette cause, tout en étant utile à ceux qui font carrière en milieu carcéral ou aux autres qui cherchent à mieux connaître et comprendre ce monde parfois complexe et obscur.

TABLE DES MATIÈRES

LA PASSION (Suite)

Collection Repère
dirigée par
Jean-Claude Bernheim

Dans la même collection

Le vol à main armée, les voleurs parlent... les victimes se prononcent par André Normandeau. Préface de Georges-André Parent. 152 pages.

Les suicides en prison par Jean-Claude Bernheim. Préface de Casamayor. 353 pages.

Femmes et prison par Monique Hamelin. Préface de Marie-Andrée Bertrand. 270 pages.

Police et pouvoir d'homicide par Jean-Claude Bernheim. Préface de Jean-Paul Brodeur. 178 pages.

La légalisation des drogues pour mieux en prévenir les abus par Line Beauchesne. Préface de Lionel Prévost. 381 pages. Édition européenne, 1992. Préface de Georges Apap.

Désarmer la police ? Un débat qui n'a pas eu lieu par Yves Dubé avec la collaboration de Line Beauchesne. Préface d'André Normandeau. 156 pages.

Policiers : Danger ou en danger ? par Georges-André Parent. Préface de Henri-Paul Vignola. 192 pages.

La science au-dessus de tout soupçon. Enquête sur les fraudes scientifiques par Serge Larivée avec la collaboration de Maria Baruffaldi. 276 pages.

Les sports et la drogue par Éric Giguère avec la collaboration de Line Beauchesne. Préface de Jean Harvey. 200 pages.

Justice et communautés culturelles ? Sous la direction de André Normandeau et Émerson Douyon. 422 pages.

Justice blanche au Nunavik par Mylène Jaccoud. Préface de Guy Rocher. 382 pages.

Police professionnelle de type communautaire par André Normandeau.

ACHEVÉ D'IMPRIMER
CHEZ
MARC VEILLEUX,
IMPRIMEUR À BOUCHERVILLE,
EN NOVEMBRE MIL NEUF CENT QUATRE-VINGT-DIX-SEPT